D0201089

# imaginación

# y

# fantasía

# CUENTOS DE LAS AMÉRICAS

edited by

## DONALD A. YATES

Michigan State University

## JOHN B. DALBOR

Pennsylvania State University

Holt, Rinehart and Winston    New York, Toronto, London

# imaginación

# y

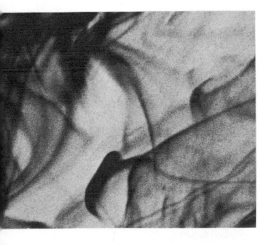

# fantasía

**REVISED**

# TAPE RECORDINGS

The following *revised* tape materials are available for use in the language laboratory in conjunction with class use of the text:

(1) Uninterrupted, natural-speed readings of the stories of the text.

(2) The CUESTIONARIOS of the printed text (Exercise A) with appropriate answers.

(3) A DICTADO composed of sentences which utilize the phrases found in the text Exercise B, «Key Expressions.» *(Not printed in the text.)*

(4) Aural-comprehension, multiple-choice tests, or drills, which also utilize the phrases found in the text Exercise B. *(Not printed in the text.)*

(5) A transformation drill, utilizing the verbal phrases found in the text Exercise B. The phrases in sentences are to be changed from one tense to another. *(Not printed in the text.)*

(6) A translation drill, also utilizing the phrases found in Exercise B of the text. For some stories the sentences are given in Spanish and are to be translated into English, and vice versa for other stories. *(Not printed in the text.)*

(7) Two new stories, not found in the text, read at natural speed in their entirety. The first of these may be used as an aural-comprehension test midway in the course; the second at the end. A true-false test with correct answers following is given on tape for use with each one of these «aural-comprehension» stories. *(Not printed in the text.)*

The «extra» vocabulary of each of these stories is found immediately following the end vocabulary of the printed text. It should be assigned for study before the student hears the oral rendition of the story in the laboratory.

A script covering materials not printed in the text will be furnished to the teachers.

*Library of Congress Catalog Card Number: 68-13501*

*Printed in the United States of America*
Cloth: SBN 03-069110-9
Paper: SBN 03-074475-X

90123   40   987654

# PREFACE
## to the
## Revised Edition

This revised edition of *Imaginación y fantasía* is designed to serve precisely the same purpose as that which guided us in the preparation of the original text. We offer again an introduction to Spanish American imaginative fiction—the term «imaginative» being broadly viewed to allow the inclusion of fable, fantasy, detective fiction, parable, as well as such varying types of prose narrative as the tale of horror and the whimsical satire. What unifies this new group of stories is the desire on the part of each author to move away from objective reality and create a more *individualistic* world in which to situate his narrative.

We believe that the stories collected here have their own built-in charm. They are inherently appealing as stories because they are about things that are interesting to everyone. In the pages that follow, the reader will learn of Denevi's super-efficient bronze bees, Ferrari Amores' opportunistic, good-natured murderer, Nervo's authentic «fallen angel,» Palma's macabre description of a moonlit ride to the cemetery in the company of the dead. He will also read of Riva Palacio's comical school in the jungle, Arlt's version of doomsday, Arreola's allegorical railway system, and Anderson Imbert's gravity-defying Pedro.

We have omitted three of the stories from the original edition and have replaced them, in the case of Borges and Quiroga, with what we feel are better works by these authors. And we have added new stories by Clemente Palma, Augusto Mario Delfino, and Marco Denevi, thus raising the total number of selections from twelve to fourteen.

The exercises following the stories have been prepared with definite purposes in mind. Exercise A, the *cuestionario*, is not only a series of questions but a drill which may be either written or oral, designed to lead to a full comprehension of the most significant features of the respective story. Also, it provides occasion for calling into use a particular new idiom, verb, or expression.

Exercise B, «Key Expressions,» has been added to this edition. It is a list of many of the most important idioms and verbal expressions that occur in the story—phrases which are used again in the exercises in the book and in the laboratory drills. The place of their first appearance in the story is indicated by page and line numbers.

Exercise C, «Verb Exercise,» deals with verbal patterns taken from each story. Some of them, to be sure, are essentially vocabulary items, but many are also idiomatic in their English rendition and deserve special attention. In requiring, in each case, the use of the verb in two tenses, it is our purpose to increase the possibility of mastering the new form as well as to open new avenues of expression. Also, in many cases, the double use of the verb has allowed us to give more than a single possible English translation. We have attempted throughout (in the notes as well as in the exercises) to give good, natural, and, where appropriate, colloquial English for the Spanish term.

Exercise D, beginning with the second story, is slightly revised from its previous form. It serves to stress the most important nonverbal expressions and idioms found in each story. Its main purpose is to add to the student's passive vocabulary.

Finally, also beginning with the second story, various additional and self-explanatory Review Exercises (Exercise E) have been included at the end of every other story.

Since the stories in this text have been arranged according to relative difficulty, it is advisable that they be read in the order in which they appear. We are hopeful that the exercises and taped materials decribed above will increase the value of this text as a language-learning tool and that they will effectively complement its purpose to serve as an entertaining introduction to Spanish American imaginative fiction.

We express our thanks to Carlos M. Terán, Alvaro Gärtner, Carlos Astiz, María Teresa de Astiz, and Rodrigo Solera for their generous assistance in the preparation of this book.

D. A. Y.

J. B. D.

# CONTENTS

# A Prefatory Note to the Reader

There are not many things that can seriously delay you from developing, early in your acquaintanceship with the Spanish language, a considerable ability in reading Spanish prose. The stories which follow are presented with the purpose in mind of demonstrating this point. The first story, «Los dos reyes y los dos laberintos,» by the Argentine writer Jorge Luis Borges, provides an excellent illustration of certain immediate advantages which the English-speaking student enjoys.

The author, Borges, who received his education in Europe, is one of the most cultured literary figures of his country. His prose is by nature quite formal, and the vocabulary is notable for the use of many «learned» words. You will find that words of this latter type are among the easiest to translate on sight, for a large number of them are English cognates—they resemble their corresponding terms in English.

Thus it is that we start off with a story written in Spanish by a cultured Argentine which has the promise of being quite easy to understand. The total vocabulary of the story runs to approximately 300 words. Of these, roughly one-fifth are nouns. Of the 56 individual nouns, 23 are recognizable cognates. A good part of the remaining nouns will likely already be known to you. The balance will be new nouns to be learned and retained for future readings.

More than a tenth of the words are verb forms. Of the roughly 30 individual verbs, a third are cognates, and another third will very likely already be known.

The great majority of the remaining words will be familiar to you. Therefore, we feel that you may turn to the Borges story with some feeling of confidence.

As you shall see, there are numerous other ways besides spotting cognates of rapidly building up a reading vocabulary in Spanish. In the exercises following several of the stories these techniques will be discussed.

We are confident that you will find ahead of you much pleasant and rewarding reading.

Jorge Luis Borges

# LOS DOS REYES
# Y LOS DOS LABERINTOS

# Jorge Luis Borges and the Recurrent Labyrinth

JORGE LUIS BORGES (1899-    ) *was born in Argentina, educated in Europe, and returned to Buenos Aires in 1921 to begin forging one of the most respected literary reputations ever attained by a Spanish American writer. A leading poet in his early years, he moved in the Thirties into prose expression with essays and stories that have firmly established him as one of the finest literary stylists writing in the Spanish language today. He is presently Director of the Biblioteca Nacional in the Argentine capital—a position comparable to that of our Librarian of Congress.*

*Of the numerous metaphysical themes which run through the prose and poetry of Borges, one of the most striking is that of the maze, or labyrinth. A maze is, of course, a system of winding paths designed to confuse all who set foot in it. In Borges, however, the labyrinth becomes a symbol of the universe, an image of what the design of human existence might be. In «Los dos reyes y los dos laberintos» the author conjures up one more labyrinth, proposing for it a new form—perhaps the most terrifying form it may acquire on this earth.*

# Los dos reyes
# y los dos laberintos

Cuentan los hombres dignos de fe (pero Alá [1] sabe más)
que en los primeros días hubo un rey de las islas de Babilonia que
congregó a sus arquitectos y magos y les mandó construir un laberinto tan perplejo y sutil que los varones más prudentes no se
5  aventuraban a entrar, y los que entraban se perdían. Esa obra era
un escándalo, porque la confusión y la maravilla son operaciones
propias de Dios y no de los hombres. Con el andar del tiempo
vino a su corte un rey de los árabes, y el rey de Babilonia (para
hacer burla de la simplicidad de su huésped) lo hizo penetrar en
10  el laberinto, donde vagó afrentado y confundido hasta la decli-

---

[1] *Alá:* Allah (the Moslem name for God.)

nación de la tarde. Entonces imploró socorro divino y dio con [2] la puerta. Sus labios no profirieron queja ninguna, pero le dijo al rey de Babilonia que él en Arabia tenía un laberinto mejor y que, si Dios era servido, se lo daría a conocer [3] algún día. Luego regresó a Arabia, juntó sus capitanes y sus alcaides y estragó los 5 reinos de Babilonia con tan venturosa fortuna que derribó sus castillos, rompió sus gentes e hizo cautivo al mismo rey. Lo amarró encima de un camello veloz y lo llevó al desierto. Cabalgaron tres días, y le dijo: «¡Oh, rey del tiempo y substancia y cifra del siglo!, en Babilonia me quisiste [4] perder en un laberinto de 10 bronce con muchas escaleras, puertas y muros; ahora el Poderoso ha tenido a bien [5] que te muestre el mío, donde no hay escaleras que subir, ni puertas que forzar, ni fatigosas galerías que recorrer, ni muros que te veden el paso.» [6]

Luego le desató las ligaduras y lo abandonó en mitad del 15 desierto, donde murió de hambre y de sed. La gloria sea con [7] Aquel que no muere.

# Exercises

## A.  Cuestionario

1. ¿Qué mandó construir un rey de las islas de Babilonia?
2. ¿Por qué era un escándalo esa obra?
3. ¿Quién vino a la corte del rey?
4. ¿Con qué propósito hizo penetrar en el laberinto a su huésped?
5. ¿Qué hizo el rey árabe antes de pedir socorro?

---

[2] *dio con*: he came across.   [3] *se lo daría a conocer*: he would make it known to him.   [4] *quisiste*: you tried.   [5] *ha tenido a bien*: has seen fit.   [6] *que te veden el paso*: that block your way.   [7] *La gloria sea con*: Glory be to.

6. ¿Qué dijo el rey árabe que tenía en Arabia y que le daría a conocer algún día al primer rey?
7. ¿Quién hizo cautivo al rey de las islas de Babilonia?
8. ¿Hasta dónde lo llevaron al rey después de amarrarlo encima de un camello?
9. ¿Es el desierto un laberinto de veras?
10. ¿Cree Vd. que «Dios era servido» en este cuento? ¿Por qué?

## B. Key Expressions

The following important idioms and verbal expressions occur in this story and are used again in the exercises in the book and in the drills on tape. The place of their first appearance in the story is indicated below by page and line number. Thus *mandar* | infinitive will be found on page 3, line 3. When these expressions are used with a different meaning, they will be listed again. Find the place in the story where these expressions appear and learn their meaning, checking the vocabulary again, if necessary.

1. mandar + *infinitive* (3:3)
2. hacer burla de (3:9)
3. hacer + *infinitive* (3:9)
4. dar con (4:1)
5. dar a conocer (4:4)
6. tener a bien (4:12)

## C. Verb Exercise

This exercise deals exclusively with important verbal expressions (many are idiomatic) which rightly belong in the active conversational vocabulary of the Spanish student. All of them are listed in Section B, «Key Expressions.» Using the expressions in the right hand column, give the Spanish for the English sentences on the left.

1. *a)* Pedro never makes fun of his friends.
   *b)* I used to make fun of his sister.    *hacer burla de*

2. *a)* Yesterday we found a new stairway.
   *b)* She'll never come across the door.    *dar con*

3. *a)* The king has seen fit to abandon the work.    *tener a bien*

*b)* The Arabs saw fit to return to their kingdom.

4. *a)* The guest made known his complaints.     *dar a conocer*
   *b)* The man will make his faith known to all.

5. *a)* They had a new wall built.                *mandar* or *hacer*
   *b)* I will have them brought to your           + infinitive
   house.

## D. Review Exercise

The following words from the story are cognates that you may have been able to recognize owing to their resemblance to familiar English words. Review them now and see if you can give their meanings on sight.

NOUNS: *islas, arquitectos, laberinto, escándalo, confusión, maravilla, operaciones, corte, árabes, simplicidad, capitanes, fortuna, castillos, camello, desierto, substancia, cifra, bronce, galerías, gloria, Babilonia, Arabia, Alá.*

VERBS: *congregar, construir, aventurarse, entrar, penetrar, implorar, forzar, abandonar.*

ADJECTIVES: *perplejo, sutil, prudente, confundido, divino.*

Can you now make any generalizations on how certain groups of English words appear in Spanish? What form, for example, do many English words with the following endings take in Spanish: *-tion, -ty, -nce, -ent?*

Can a Spanish word begin with *sc-, sl-, sm-, sp-,* or *-st?* What is characteristic of the form of the Spanish equivalents of many English words of this type?

Vicente Riva Palacio

# EL BUEN EJEMPLO

# The Stylistic Grace of Vicente Riva Palacio

VICENTE RIVA PALACIO *(1832-1896) was born in Mexico City, became a lawyer at the age of twenty-two, entered politics, then the army, and rose to the rank of general in 1865. After the victory over the French at Juárez he retired from his active public career to write. From his pen came numerous historical novels dealing with the colonial era in Mexico in general and with the influence in the New World of the Spanish Inquisition in particular. His short stories are highly regarded today, constituting what many critics feel to be the most valuable part of his literary endeavors. In 1886 he returned to his country's service as Mexico's minister to Spain.*

*It is generally thought that the author is best represented in the volume of short stories entitled* Los cuentos del general, *which was published shortly after his death in 1896. In these stories he is relating, essentially, anecdotes, in a light and ingratiating style which is as pleasing in itself as the amusing tales he recounts. Under the author's pen these anecdotes become stories set off in little worlds of their own. Riva Palacio's art is nowhere more delightfully demonstrated than in «El buen ejemplo.»*

# El buen ejemplo

Si yo afirmara que he visto lo que voy a referir, no faltaría,
sin duda, persona que dijese [1] que eso no era verdad; y tendría
razón, porque no lo vi, pero lo creo, porque me lo contó una
señora anciana, refiriéndose a personas a quienes daba mucho crédito y que decían haberlo oído [2] de una persona que llevaba amistad con un testigo fidedigno, y sobre tales bases de certidumbre
bien puede darse fe [3] a la siguiente narración:

En la parte sur de la República Mexicana, y en las faldas de
la Sierra Madre, que van a perderse en las aguas del Pacífico, hay
un pueblecito como son en general todos aquéllos: casitas blancas
cubiertas de encendidas tejas o de brillantes hojas de palmera,
que se refugian de los ardientes rayos del sol tropical a la fresca

---

[1] *no... dijese*: without a doubt there would be someone who would say.
[2] *decían haberlo oído*: said they had heard it.    [3] *bien puede darse fe*:
one can well give credence.

**9**

sombra que les prestan enhiestos cocoteros, copudos tamarindos y crujientes platanares y gigantescos cedros.

El agua en pequeños arroyuelos cruza retozando por todas las callejuelas, y ocultándose a veces entre macizos de flores y de verdura. 5

En este pueblo había una escuela, y debe haberla todavía;[4] pero entonces la gobernaba don Lucas Forcida, personaje muy bien querido por todos los vecinos. Jamás faltaba a las horas de costumbre al cumplimiento de su pesada obligación. ¡Qué vocaciones de mártires[5] necesitan los maestros de escuela de los 10 pueblos!

En esa escuela, siguiendo tradicionales costumbres y uso general en aquellos tiempos, el estudio para los muchachos era una especie de orfeón, y en diferentes tonos, pero siempre con desesperante monotonía, en coro se estudiaban y en coro se cantaban 15 lo mismo las letras y las sílabas que la doctrina cristiana o la tabla de multiplicar.

Don Lucas soportaba con heroica resignación aquella ópera diaria, y había veces que los chicos, entusiasmados gritaban a cual más y mejor;[6] y era de ver[7] entonces la estupidez amoldando 20 las facciones de la simpática y honrada cara de don Lucas.

Daban las cinco de la tarde; los chicos salían escapados de la escuela, tirando pedradas, coleando perros y dando gritos y silbidos, pero ya fuera de las aguas jurisdiccionales de don Lucas, que los miraba alejarse, como diría un novelista, trémulo de 25 satisfacción.

Entonces don Lucas se pertenecía a sí mismo: sacaba a la calle una gran butaca de mimbre; un criadito le traía una taza de chocolate acompañada de una gran torta de pan, y don Lucas, disfrutando del fresco de la tarde y recibiendo en su calva frente 30 el vientecillo perfumado que llegaba de los bosques, como para consolar a los vecinos de las fatigas del día, comenzaba a despachar su modesta merienda, partiéndola cariñosamente con su loro.

---

[4] *debe haberla todavía*: it must still be there.    [5] *¡Qué vocaciones de mártires*: What a calling for martyrdom.    [6] *a cual más y mejor*: to see who could do it the loudest and the best.    [7] *era de ver*: you should have seen.

Porque don Lucas tenía un loro que era, como se dice hoy, su debilidad, y que estaba siempre en una percha a la puerta de la escuela, a respetable altura para escapar de los muchachos, y al abrigo del sol por un pequeño cobertizo de hojas de palma. Aquel
5 loro y don Lucas se entendían perfectamente. Raras veces mezclaba sus palabras, más o menos bien aprendidas, con los cantos de los chicos, ni aumentaba la algazara con los gritos estridentes y desentonados que había aprendido en el hogar materno.

Pero cuando la escuela quedaba desierta y don Lucas salía
10 a tomar su chocolate, entonces aquellos dos amigos daban expansión libre a todos sus afectos. El loro recorría la percha de arriba abajo, [8] diciendo cuanto sabía [9] y cuanto no sabía; restregaba con satisfacción su pico en ella, y se colgaba de las patas, cabeza abajo, para recibir la sopa de pan con chocolate que con paternal cariño
15 le llevaba don Lucas.

Y esto pasaba todas las tardes.

Transcurrieron así varios años, y don Lucas llegó a tener tal confianza en su querido *Perico,* como lo llamaban los muchachos, que ni le cortaba las alas ni cuidaba de ponerle calza.
20 Una mañana, serían como las diez, uno de los chicos, que casualmente [10] estaba fuera de la escuela, gritó espantado: «Señor maestro, que [11] se vuela Perico». Oír esto y lanzarse en precipitado tumulto a la puerta maestro y discípulos, fue todo uno; [12] y, en efecto, a lo lejos, como un grano de esmalte verde herido
25 por los rayos del Sol, se veía al ingrato esforzando su vuelo para ganar cuanto antes refugio en el cercano bosque.

Como toda persecución era imposible, porque ni aun teniendo la filiación del prófugo podría habérsele distinguido [13] entre la multitud de loros que pueblan aquellos bosques, don Lucas, lan-
30 zando de lo hondo de su pecho un «sea por Dios», [14] volvió a

---

[8] *recorría... abajo*: went up and down his perch.    [9] *cuanto sabía*: all that he knew.    [10] *casualmente*: by chance.    [11] *que*: should not be translated.    [12] *Oír... uno*: No sooner had they heard this when the teacher and pupils charged forward to the door in a wild rush.    [13] *podría habérsele distinguido*: could one have picked him out.    [14] *«sea por Dios»*: It's God's will.

ocupar su asiento, y las tareas escolares continuaron, como si no acabara de pasar aquel terrible acontecimiento.

Transcurrieron varios meses, y don Lucas, que había echado al olvido [15] la ingratitud de Perico, tuvo necesidad de emprender un viaje a uno de los pueblos circunvecinos, aprovechando unas 5 vacaciones.

Muy de madrugada [16] ensilló su caballo, tomó un ligero desayuno y salió del pueblo, despidiéndose muy cortésmente de los pocos vecinos que por las calles encontraba.

En aquel país, pueblos cercanos son aquéllos que sólo están 10 separados por una distancia de doce o catorce leguas, y don Lucas necesitaba caminar la mayor parte del día.

Eran las dos de la tarde; el sol derramaba torrentes de fuego; ni el viento más ligero agitaba los penachos de las palmas que se dibujaban sobre un cielo azul con la inmovilidad de un árbol de 15 hierro. Los pájaros enmudecían ocultos entre el follaje, y sólo las cigarras cantaban tenazmente en medio de aquel terrible silencio a la mitad del día.

El caballo de don Lucas avanzaba haciendo sonar el acompasado golpeo de sus pisadas con la monotonía del volante de un 20 reloj.

Repentinamente don Lucas creyó oír a lo lejos el canto de los niños de la escuela cuando estudiaban las letras y las sílabas.

Al principio aquello le pareció una alucinación producida por el calor, como esas músicas y esas campanadas que en el primer 25 instante creen oír los que sufren un vértigo; pero, a medida que avanzaba, aquellos cantos iban siendo más claros y más perceptibles; aquello era una escuela en medio del bosque desierto.

Se detuvo asombrado y temeroso, cuando de los árboles cercanos se desprendió, tomando vuelo, una bandada de loros que 30 iban cantando acompasadamente *ba, be, bi, bo, bu; la, le, li, lo, lu;* y tras ellos, volando majestuosamente un loro que, al pasar cerca del espantado maestro, volvió la cabeza, diciéndole alegremente:

---

[15] *había echado al olvido*: had forgotten.     [16] *Muy de madrugada*: At daybreak.

«Don Lucas, ya tengo escuela.»

Desde esa época los loros de aquella comarca, adelantándose a su siglo, [17] han visto disiparse las sombras del obscurantismo y la ignorancia.

# Exercises

## A. Cuestionario

1. ¿Quién le refirió al autor la historia que él cuenta?
2. ¿Dónde enseñaba el maestro don Lucas Forcida?
3. ¿Cómo estudiaban los alumnos de la escuela de don Lucas?
4. ¿Cómo se divertía don Lucas todos los días después de la clase?
5. ¿Con quién partía don Lucas su modesta merienda?
6. ¿Por qué no le cortó don Lucas las alas a su compañero?
7. ¿Qué llegó gritando una mañana uno de los chicos?
8. ¿A dónde tuvo que ir don Lucas varios meses después?
9. A medida que avanzaba por el camino, ¿qué oyó don Lucas a lo lejos?
10. ¿De qué se componía esa escuela en medio del bosque?

## B. Key Expressions

Find the place in the story where these expressions occur and learn their meaning, checking the vocabulary again, if necessary.

1. tener razón (9:2)
2. referirse a (9:4)
3. refugiarse (9:12)
4. ocultarse (10:4)
5. faltar a (10:8)
6. necesitar (10:10)
7. en aquellos tiempos (10:13)
8. una especie de (10:14)
9. soportar (10:18)
10. dar + clock-time (10:22)

[17] adelantándose a su siglo: getting ahead of their own century.

11. disfrutar de (10:30)
12. como para (10:31)
13. entenderse (11:5)
14. de arriba abajo (11:11)
15. transcurrir (11:17)
16. llegar a + infinitive (11:17)
17. cuidar de (11:19)
18. serían como + clock-time (11:20)
19. casualmente (11:21)
20. a lo lejos (11:24)
21. cuanto antes (11:26)
22. volver a + infinitive (11:30)
23. acabar de + infinitive (12:2)
24. despedirse de (12:8)
25. al principio (12:24)
26. a medida que (12:26)
27. detenerse (12:29)
28. volver + direct object (12:33)

## C. Verb Exercise

Using the verbs in the right-hand column, give the Spanish for the English sentences on the left.

1. *a)* Do you know what I'm referring to?
   *b)* I think he was referring to something else.
   
   *referirse a*

2. *a)* She has stood his tyranny for ten years.
   *b)* He couldn't endure it all without complaining.
   
   *soportar*

3. *a)* I'm sure you'll benefit from his advice.
   *b)* I enjoyed that course very much.
   
   *disfrutar de*

4. *a)* They took refuge in the woods.
   *b)* We can take shelter in that old house.
   
   *refugiarse*

5. *a)* They've always understood one another.
   *b)* José and I understand each other perfectly.
   
   *entenderse*

6. *a)* Who's going to take care of your dog?
   *b)* I'll take care of the children if you want to go out.
   
   *cuidar de*

7. *a)* Many hours elapsed before they returned.
   *b)* Years and years passed and the people forgot him.
   
   *transcurrir*

8. *a)* The old man stopped at the corner.　　*detenerse*
   *b)* Will the girls stop there?

9. *a)* I shall need your money and your　　*necesitar*
   help.
   *b)* What more does he need?

10. *a)* They concealed themselves behind some　　*ocultarse*
    trees.
    *b)* The sun was hiding behind a cloud.


## D. Drill on New Expressions

This drill deals mostly with non-verbal idioms and expressions. By «idioms» here we refer to expressions whose meaning is different from the sum total of the literal meaning of each element. These expressions, which are also listed in Section B, «Key Expressions,» will vary greatly in frequency and usefulness. The main purpose of this section will be to add these expressions to your passive vocabulary so that you will recognize them on sight even though you may not habitually use them when you speak Spanish.

From the expressions on the right, select the one corresponding to the italicized English words on the left and rewrite the entire sentence in Spanish.

1. *In those days,* life wasn't so easy.

2. *It must have been around 10:00* when the plane arrived.

3. I think it's *a kind of* bird.

4. We saw them approaching *in the distance.*

5. While we were walking through the square, *it struck  5:00.*

6. The student *wrote* his last lesson *over again.*

7. They looked us over *from head to foot.*

8. *While* night was falling, the parrots returned to the forest.

9. He raised the stone *as if* to throw it.

10. They want us to come *as soon as possible.*

a lo lejos
cuanto antes
a medida que
en aquellos tiempos
una especie de
dieron las cinco
como para
volver a (+ *infinitive*)
serían como las diez
de arriba abajo

## E. Review Exercise

The following nouns, which appeared in «El buen ejemplo,» carry the diminutive endings *-ito, -illo,* and *-uelo.* What different translations can these words have? What do these diminutive suffixes suggest from

(1) the standpoint of the speaker or author, or
(2) with regard to the object itself?

| | | |
|---|---|---|
| pueblecito | criadito | arroyuelo |
| casita | vientecillo | callejuelas |

Being aware of the widespread use of the various diminutive endings in Spanish is a highly valuable asset in recognizing new (and, at first glance, apparently unknown) words, and in expanding one's own active vocabulary.

Enrique Anderson Imbert

# EL LEVE PEDRO

# Enrique Anderson Imbert and the Intimations of Chaos

ENRIQUE ANDERSON IMBERT *(1910-    ) is a native Argentine who came to the United States more than two decades ago to continue a successful and fruitful career as teacher, author, and literary critic and historian. His novels* Vigilia *(1934) and* Fuga *(1953) and his collection of short stories* Las pruebas del caos *(1946) established him as one of his country's most gifted writers. In 1954 he published his* Historia de la literatura hispanoamericana, *a valuable work which has since been revised and translated. Professor Anderson continues to be one of the most frequent and respected contributors to the pages of the principal Argentine literary newspapers and magazines.*

*«El leve Pedro,» taken from* Las pruebas del caos, *is that book's opening story. It is the first suggestion the author gives of the form that chaos might take in our comfortable, everyday world— if some imperceptible malfunction of one of the numerous simple «laws of nature» were to occur. If just one infinitesimal impossibility were to occur, then, as he proposes elsewhere in his book, a cigarette could smoke a man. Or, in a like manner, we might have the case of —* «El leve Pedro.»

# El leve Pedro

Durante dos meses se asomó a la muerte. [1] El médico murmuraba que la enfermedad de Pedro era nueva, que no había modo
de tratarla y que él no sabía qué hacer... Por suerte el enfermo,
solito, [2] se fue curando. No había perdido su buen humor, su
5 oronda calma provinciana. Demasiado flaco y eso era todo. Pero
al levantarse después de varias semanas de convalecencia se sintió
sin peso. [3]

—Oye —dijo a su mujer— me siento bien pero no sé... el
cuerpo me parece... ausente. Estoy como si mis envolturas fueran
10 a desprenderse dejándome el alma desnuda. [4]

—Languideces —le respondió su mujer.

—Tal vez.

Siguió recobrándose. Ya paseaba por el caserón, atendía el
hambre de las gallinas y de los cerdos, dio una mano de pintura

---

[1] *se asomó a la muerte*: he looked death in the face.    [2] *solito*: all by
himself.    [3] *sin peso*: weightless.    [4] *Estoy ... desnuda*: I feel as if
my body were floating away, leaving just my naked soul.

verde [5] a la pajarera bulliciosa y aun se animó a [6] hachar la leña y llevarla en carretilla hasta el galpón. Pero según pasaban los días [7] las carnes de Pedro perdían densidad. Algo muy raro le iba minando, socavando, vaciando el cuerpo. Se sentía con una ingravidez portentosa. [8] Era la ingravidez de la chispa y de la burbuja, del globo y de la pelota. Le costaba muy poco [9] saltar limpiamente la verja, trepar las escaleras de cinco en cinco, [10] coger de un brinco [11] la manzana alta.

—Te has mejorado tanto —observaba su mujer— que pareces un chiquillo acróbata.

Una mañana Pedro se asustó. Hasta entonces su agilidad le había preocupado, pero todo ocurría como Dios manda. [12] Era extraordinario que, sin proponérselo, convirtiera la marcha de los humanos en una triunfal carrera en volandas sobre la quinta. [13] Era extraordinario pero no milagroso. Lo milagroso apareció esa mañana.

Muy temprano fue al potrero. Caminaba con pasos contenidos porque ya sabía que en cuanto taconeara iría dando botes por el corral. [14] Arremangó la camisa, acomodó un tronco, cogió el hacha y asestó el primer golpe. Y entonces, rechazado por el impulso de su propio hachazo, Pedro levantó vuelo. [15] Prendido todavía del hacha, quedó un instante en suspensión, levitando allá, a la altura de los techos; y luego bajó lentamente, bajó como un tenue vilano de cardo.

Acudió su mujer cuando Pedro ya había descendido y, con una palidez de muerte, temblaba agarrado a un rollizo tronco.

—¡Hebe! ¡Casi me caigo [16] al cielo!

---

[5] dió ... verde: he put a coat of green paint.     [6] aun se animó a: he even got up the energy to.     [7] según pasaban los días: as the days went by.     [8] Se sentía... portentosa: He felt himself to be marvellously free of gravity.     [9] Le costaba muy poco: It was very easy for him.     [10] de cinco en cinco: five at a time.     [11] de un brinco: with one leap.     [12] todo... manda: nothing out of the ordinary happened.     [13] convirtiera... quinta: he turned a normal human's walk into a triumphal series of soaring flights over the small farm.     [14] en... corral: as soon as he put his heels down, he would start bouncing all over the yard.     [15] levantó vuelo: took off.     [16] Casi me caigo: I nearly fell.

—Tonterías. No puedes caerte al cielo. Nadie se cae al cielo. ¿Qué te ha pasado?

Pedro explicó la cosa a su mujer y ésta, sin asombro, le reconvino:

5    —Te sucede por hacerte el acróbata. [17] Ya te lo he prevenido. El día menos pensado [18] te desnucarás en una de tus piruetas.

—¡No, no! —insistió Pedro—. Ahora es diferente. Me resbalé. El cielo es un precipicio, Hebe.

Pedro soltó el tronco que lo anclaba pero se asió fuertemente
10 a su mujer. Así abrazados volvieron a la casa.

—¡Hombre! —le dijo Hebe, que sentía el cuerpo de su marido pegado al suyo como el de un animal extrañamente joven y salvaje, con ansias de huir [19] en vertiginoso galope—. ¡Hombre, déjate de hacer fuerza, que me arrastras! [20] Das unos pasos como
15 si quisieras echarte a volar.

—¿Has visto, has visto? Algo horrible me está amenazando, Hebe. Un esguince, y ya empieza la ascensión.

Esa tarde Pedro, que estaba apoltronado en el patio leyendo las historietas del periódico, se rio convulsivamente. Y con la
20 propulsión de ese motor alegre fue elevándose como un ludión, como un buzo que se había quitado las suelas. La risa se trocó en terror y Hebe acudió otra vez a las voces de su marido. Alcanzó a cogerlo de los pantalones y lo atrajo a la tierra. Ya no había duda. Hebe le llenó los bolsillos con grandes tuercas, caños de
25 plomo y piedras; y estos pesos por el momento le dieron a su cuerpo la solidez necesaria para tranquear por la galería y empinarse por la escalera de su cuarto. Lo difícil fue desvestirlo. Cuando Hebe le quitó los hierros y el plomo, Pedro, fluctuante sobre las sábanas, se entrelazó a los barrotes de la cama y le advirtió:
30    —¡Cuidado, Hebe! Vamos a hacerlo despacio porque no quiero dormir en el techo.

—Mañana mismo [21] llamaremos al médico.

---

[17] *Te sucede... acróbata*: It's happened because of your playing the acrobat.   [18] *El día menos pensado*: One of these days.   [19] *con ansias de huir*: anxious to flee.   [20] *déjate... arrastras!* stop pulling, you're dragging me!   [21] *Mañana mismo*: Tomorrow without fail.

—Si consigo estarme quieto[22] no me ocurrirá nada. Solamente cuando me agito me hago aeronauta.

Con mil precauciones pudo acostarse y se sintió seguro.

—¿Tienes ganas de subir?

—No. Estoy bien.

Se dieron las buenas noches [23] y Hebe apagó la luz.

Al otro día cuando Hebe despegó los ojos vio a Pedro durmiendo como un bendito, [24] con la cara pegada al techo. Parecía un globo escapado de las manos de un niño.

—¡Pedro, Pedro! —gritó aterrorizada.

Al fin Pedro despertó, dolorido por el estrujón de varias horas contra el cielo raso. ¡Qué espanto! Trató de saltar al revés, de caer para arriba, de subir para abajo. Pero el techo lo succionaba como succionaba el suelo a Hebe.

—Tendrás que atarme de una pierna y amarrarme al ropero hasta que llames al doctor y vea qué es lo que pasa.

Hebe buscó una cuerda y una escalera, ató un pie a su marido [25] y se puso a tirar con todo el ánimo. El cuerpo adosado al techo se removió como un lento dirigible. Aterrizaba.

En eso [26] se coló por la puerta un correntón de aire que ladeó la leve corporeidad de Pedro y, como a una pluma, la sopló por la ventana abierta. Ocurrió en un segundo. Hebe lanzó un grito y la cuerda se le escapó de las manos. Cuando corrió a la ventana ya su marido, desvanecido, subía por el aire inocente de la mañana, subía en suave contoneo como un globo de color fugitivo en un día de fiesta, perdido para siempre, en viaje al infinito. Se hizo un punto y luego nada.

---

[22] *Si consigo estarme quieto*: If I manage to stay still.   [23] *Se dieron... noches*: They said goodnight to each other.   [24] *un bendito*: a «baby.»   [25] *ató... marido*: tied one of her husband's feet.   [26] *En eso*: At that moment.

22 ENRIQUE ANDERSON IMBERT

# Exercises

## A. Cuestionario

1. ¿Qué dijo el médico de la enfermedad de Pedro?
2. ¿Cómo se sintió Pedro al levantarse después de varias semanas de convalecencia?
3. ¿Por qué dice la mujer de Pedro que éste parece un chiquillo acróbata?
4. ¿Qué ocurrió cuando Pedro dio un golpe con su hacha?
5. ¿Podría ser el cielo un precipicio de veras?
6. ¿Qué le pasó a Pedro una tarde cuando se rio convulsivamente?
7. ¿Con qué le llenó Hebe los bolsillos a su marido?
8. Al despertarse la mañana siguiente ¿qué vio Hebe?
9. ¿Cómo se le escapó de las manos la cuerda?
10. ¿Hasta dónde subió el leve Pedro?

## B. Key Expressions

Find the place in the story where these expressions occur and learn their meaning, checking the vocabulary again, if necessary.

1. asomarse a (19:1)
2. por suerte (19:3)
3. solito (19:4)
4. seguir + gerund (19:13)
5. animarse a + infinitive (20:1)
6. costarle poco (mucho) a uno (20:6)
7. de (cinco) en (cinco) (20:7)
8. en cuanto (20:18)
9. levantar vuelo (20:21)
10. acudir (20:25)
11. casi + present time (20:27)
12. caerse (20:27)
13. hacerse + noun (or adjective) (21:5)
14. con ansias de (21:13)
15. dejar(se) de + infinitive (21:14)
16. dar pasos (21:14)
17. quitarse (21:21)
18. alcanzar a + infinitive (21:22)
19. mañana (hoy) mismo (21:32)
20. sentirse + adjective (22:3)
21. tener ganas de (22:4)
22. dar las buenas noches (los buenos días, etc.) (22:6)
23. al otro día (22:7)

24. al fin (22:11)
25. tratar de + *infinitive* (22: 12)
26. tener que + *infinitive* (22: 15)
27. ponerse a + *infinitive* (22: 18)
28. en eso (22:20)
29. hacerse + *noun* (22:26)

## C. Verb Exercise

Using the verbs in the right-hand column, give the Spanish for the English sentences on the left.

1. *a)* Pedro didn't feel very well.  *sentirse*
   *b)* How do you feel now?
2. *a)* He'll keep on reading until 11:30.  *seguir* + gerund
   *b)* He continued walking along the street.
3. *a)* Mr. Brown felt like calling his friend.  *tener ganas de*
   *b)* I never feel like sleeping in class!
4. *a)* The teacher began to explain the lesson.  *ponerse a*
   *b)* His wife begins to pull on the rope.
5. *a)* Why do you pretend to be an acrobat?  *hacerse*
   *b)* Don't pretend to be innocent!

## D. Drill on New Expressions

From the expressions on the right, select the one corresponding to the italicized English words on the left and rewrite the entire sentence in Spanish.

1. The poor fellow *almost* fell from the tree.
2. *Fortunately,* they didn't make fun of her.
3. *It's very easy* for Lola to get up early in the morning.
4. I doubt that *he'll get up the energy* to accompany us.
5. When Pedro began to rise, his wife *came to the rescue.*
6. He was *anxious* to return to his village.
7. *Finally,* they had the meal served.
8. The plane *took off* for the last time.
9. Pablo used to walk *all by himself* around the ranch.
10. We'll go *as soon as* the car arrives.

en cuanto
con ansias de
al fin
por suerte
animarse a
le cuesta muy poco
solito
casi (*followed by present tense to express past action*)
acudir
levantar vuelo

24  ENRIQUE ANDERSON IMBERT

W. I. Eisen

# JAQUE MATE
# EN DOS JUGADAS

# The Detective Story in Argentina

W. I. EISEN *(1919-      ) is the pseudonym of Isaac Aisemberg, one of the principal Argentine cultivators of the detective story —a type of fiction which for decades has enjoyed great popularity in the principal cities of Spanish America. Thanks to Eisen and others of his Buenos Aires colleagues, the detective story has had a greater and more varied development in Argentina than in any other Spanish-speaking country—including Spain. Eisen brings an interesting background to the writing of detective short stories and novels. He has studied law (with the intention of entering politics), has worked on Buenos Aires newspapers, and has done program planning for the Radio Nacional in the capital. He has also written for Argentine movies and television. His* Tres negativos para un retrato *(1949) and* Manchas en el Río Bermejo *(1950) are two of the most imaginative and  well-executed  detective novels that have been written in Argentina.*

«*Jaque mate en dos jugadas*» *is an ironic tale of revenge, set against the backdrop of Buenos Aires by night. One of Eisen's most successful stories, it has been published in translation in the United States and has appeared in other short-story anthologies. From the first three words until the story's surprise climax, the reader is absorbed in the thoughts of Claudio Álvarez and experiences with him the elation and subsequent creeping doubt and terror of a man who has committed a crime in the hope of going unpunished for it before the law.*

# Jaque mate
# en dos jugadas

Yo lo envenené. En dos horas quedaría liberado. Dejé a mi tío
Néstor a las veintidós. [1] Lo hice con alegría. Me ardían las mejillas. Me quemaban los labios. Luego me serené y eché a caminar
tranquilamente por la avenida en dirección al puerto.
5      Me sentía contento. Liberado. Hasta Guillermo saldría socio
beneficiario [2] en el asunto. ¡Pobre Guillermo! ¡Tan tímido, tan
inocente! Era evidente que yo debía pensar y obrar por ambos.
Siempre sucedió así. Desde el día en que nuestro tío nos llevó a
su casa. Nos encontramos perdidos en el palacio. Era un lugar
10  seco, sin amor. Únicamente el sonido metálico de las monedas.

---

[1] *a las veintidós*: In many parts of the world the 24-hour system of
telling time is often used. «Twenty-two,» therefore, is 10 p.m.    [2] *socio
beneficiario*: partner in the profits.

27

—Tenéis que acostumbraros al ahorro, a no malgastar. ¡Al fin y al cabo,[3] algún día será vuestro! —decía. Y nos acostumbramos a esperarlo.

Pero ese famoso y deseado día no llegaba, a pesar de que tío sufría del corazón. Y si de pequeños[4] nos tiranizó, cuando crecimos 5 se hizo cada vez más[5] intolerable.

Guillermo se enamoró un buen día. A nuestro tío no le gustó la muchacha. No era lo que ambicionaba para su sobrino.

—Le falta cuna..., le falta roce..., ¡puaf! Es una ordinaria... —sentenció. 10

Inútil fue que Guillermo se dedicara a encontrarle méritos. El viejo era testarudo y arbitrario.

Conmigo tenía otra clase de problemas. Era un carácter contra otro. Se empeñó en doctorarme[6] en bioquímica. ¿Resultado? Un perito en póquer y en carreras de caballos. Mi tío para esos vicios 15 no me daba ni un centavo. Tenía que emplear todo mi ingenio para quitarle un peso.

Uno de los recursos era aguantarle sus interminables partidas de ajedrez; entonces yo cedía con aire de hombre magnánimo, pero él, en cambio, cuando estaba en posición favorable alargaba 20 el final, anotando las jugadas con displicencia, sabiendo de mi prisa por salir para el club. Gozaba con mi infortunio saboreando su coñac.

Un día me dijo con tono condescendiente:

—Observo que te aplicas en el ajedrez. Eso me demuestra 25 dos cosas: que eres inteligente y un perfecto holgazán. Sin embargo, tu dedicación tendrá su premio. Soy justo. Pero eso sí,[7] a falta de diplomas,[8] de hoy en adelante tendré de ti bonitas anotaciones de las partidas. Sí, muchacho, vamos a guardar cada uno los apuntes de los juegos en libretas para compararlas. ¿Qué te 30 parece?

Aquello podría resultar un par de cientos de pesos, y acepté. Desde entonces, todas las noches, la estadística. Estaba tan arrai-

---

[3] *¡Al fin y al cabo*: After all.    [4] *de pequeños*: when we were children. [5] *cada vez más*: more and more.    [6] *Se... doctorarme*: He insisted that I get a doctor's degree.    [7] *eso sí*: I'm warning you.    [8] *a falta de diplomas*: since you'll never show me a degree.

gada la manía en él, que en mi ausencia comentaba las partidas con Julio, el mayordomo.

Ahora todo había concluido. Cuando uno se encuentra en un callejón sin salida, el cerebro trabaja, busca, rebusca. Y encuentra.
5 Siempre hay salida para todo. No siempre es buena. Pero es salida. Llegaba a la Costanera. Era una noche húmeda. En el cielo nublado, alguna chispa eléctrica. El calorcillo mojaba las manos, resecaba la boca.

En la esquina, un policía me hizo saltar el corazón.
10 El veneno, ¿cómo se llamaba? Aconitina. Varias gotitas en el coñac mientras conversábamos. Mi tío esa noche estaba encantador. Me perdonó la partida. [9]

—Haré un solitario [10] —dijo—. Despaché a los sirvientes... ¡Hum! Quiero estar tranquilo. Después leeré un buen libro. Algo
15 que los jóvenes no entienden... Puedes irte.

—Gracias, tío. Hoy realmente es... sábado.

—Comprendo.

¡Demonios! El hombre comprendía. La clarividencia del condenado.
20 El veneno producía un efecto lento, a la hora, [11] o más, según el sujeto. Hasta seis u ocho horas. Justamente durante el sueño. El resultado: la apariencia de un pacífico ataque cardíaco, sin huellas comprometedoras. Lo que yo necesitaba. ¿Y quién sospecharía? El doctor Vega no tendría inconveniente en suscribir [12] el certifi-
25 cado de defunción. ¿Y si me descubrían? ¡Imposible!

Pero, ¿y Guillermo? Sí. Guillermo era un problema. Lo hallé en el *hall* después de preparar la «encomienda» para el infierno. Descendía la escalera, preocupado.

—¿Qué te pasa? —le pregunté jovial, y le hubiera agregado
30 de buena gana: [13] «¡Si supieras, hombre!»

—¡Estoy harto! —me replicó.

—¡Vamos! —Le palmoteé la espalda—. Siempre estás dispuesto a la tragedia...

---

[9] *Me perdonó la partida*: He excused me from the game.  [10] *Haré un solitario*: I'll play a game by myself.  [11] *a la hora*: after an hour.  [12] *no tendría... suscribir*: wouldn't mind signing.  [13] *de buena gana*: willingly.

—Es que el viejo me enloquece. Últimamente, desde que volviste a la Facultad y le llevas la corriente [14] en el ajedrez, se la toma conmigo. [15] Y Matilde...

—¿Qué sucede con Matilde?

—Matilde me lanzó un ultimátum: o ella, o tío.    5

—Opta por ella. Es fácil elegir. Es lo que yo haría...

—¿Y lo otro?

Me miró desesperado. Con brillo demoníaco en las pupilas; pero el pobre tonto jamás buscaría el medio de resolver su problema.    10

—Yo lo haría —siguió entre dientes—; pero, ¿con qué viviríamos? Ya sabes cómo es el viejo... Duro, implacable. ¡Me cortaría los víveres!

—*Tal vez las cosas se arreglen de otra manera...* —insinué bromeando—. ¡Quién te dice...!    15

—¡Bah!... —sus labios se curvaron con una mueca amarga—. No hay escapatoria. Pero yo hablaré con el viejo tirano. ¿Dónde está ahora?

Me asusté. Si el veneno resultaba rápido... Al notar los primeros síntomas podría ser auxiliado y...    20

—Está en la biblioteca —exclamé—, pero déjalo en paz. Acaba de jugar la partida de ajedrez, y despachó a la servidumbre. ¡El lobo quiere estar solo en la madriguera! Consuélate en un cine o en un bar.

Se encogió de hombros.    25

—El lobo en la madriguera... —repitió. Pensó unos segundos y agregó, aliviado—: Lo veré en otro momento. Después de todo...

—Después de todo, no te animarías, [16] ¿verdad? —gruñí salvajemente.

Me clavó la mirada. [17] Sus ojos brillaron con una chispa si-    30
niestra, pero fue un relámpago.

Miré el reloj: las once y diez de la noche.

Ya comenzaría a producir efecto. Primero un leve malestar, nada más. Después un dolorcillo agudo, pero nunca demasiado

---

[14] *le llevas la corriente*: you let him have his way.    [15] *se la toma conmigo*: he has been picking on me.    [16] *no te animarías*: you wouldn't have the nerve.    [17] *Me clavó la mirada*: He fixed his gaze on me.

alarmante. Mi tío refunfuñaba una maldición para la cocinera. El pescado indigesto. ¡Qué poca cosa es todo! [18] Debía de estar leyendo los diarios de la noche, los últimos. Y después, el libro, como gran epílogo. Sentía frío.

5 Las baldosas se estiraban en rombos. [19] El río era una mancha sucia cerca del paredón. A lo lejos luces verdes, rojas, blancas. Los automóviles se deslizaban chapoteando en el asfalto. Decidí regresar, por temor a llamar la atención. Nuevamente por la avenida hacia Leandro N. Alem. Por allí a Plaza de Mayo.
10 El reloj me volvió a la realidad. Las once y treinta y seis. Si el veneno era eficaz, ya estaría todo listo. Ya sería dueño de millones. Ya sería libre... Ya sería..., *ya sería asesino*.

Por primera vez pensé en la palabra misma. Yo ¡asesino! Las rodillas me flaquearon. Un rubor me azotó el cuello, me subió a
15 las mejillas, me quemó las orejas, martilló mis sienes. Las manos traspiraban. El frasquito de aconitina en el bolsillo llegó a pesarme una tonelada. Busqué en los bolsillos rabiosamente hasta dar con él. [20] Era un insignificante cuentagotas y contenía la muerte; lo arrojé lejos.

20 Avenida de Mayo. Choqué con varios transeúntes. Pensarían en un borracho. [21] Pero en lugar de alcohol, sangre.

Yo, asesino. Esto sería un secreto entre mi tío Néstor y mi conciencia. Recordé la descripción del efecto del veneno: «en la lengua, sensación de hormigueo y embotamiento, que se inicia
25 en el punto de contacto para extenderse a toda la lengua, a la cara y a todo el cuerpo.»

Entré en un bar. Un tocadiscos atronaba con un viejo *rag-time*. «En el esófago y en el estómago, sensación de ardor intenso.» Millones. Billetes de mil, de quinientos, de cien. Póquer. Carreras.
30 Viajes... «sensación de angustia, de muerte próxima, enfriamiento profundo generalizado, trastornos sensoriales, debilidad muscular, contracciones, impotencia de los músculos.»

---

[18] *¡Qué... todo!* How easy it all is!   [19] *Las... rombos*: The sidewalk stones stretched out in the shape of diamonds.   [20] *hasta dar con él*: until I found it.   [21] *Pensarían en un borracho*: They must have thought I was drunk. (The conditional tense here is used to suggest probability or conjecture in the past.)

Habría [22] quedado solo. En el palacio. Con sus escaleras de mármol. Frente al tablero de ajedrez. Allí el rey, y la dama, y la torre negra. Jaque mate.

El mozo se aproximó. Debió sorprender mi mueca de extravío, mis músculos en tensión, listos para saltar.

—¿Señor?

—Un coñac...

—Un coñac... —repitió el mozo—. Bien, señor —y se alejó.

Por la vidriera la caravana que pasa, la misma de siempre. El tictac del reloj cubría todos los rumores. Hasta los de mi corazón. La una. Bebí el coñac de un trago. [23]

«Como fenómeno circulatorio, hay alteración del pulso e hipotensión que se derivan de la acción sobre el órgano central, llegando, en su estado más avanzado, al síncope cardíaco...» Eso es. El síncope cardíaco. La válvula de escape.

A las dos y treinta de la mañana regresé a casa. Al principio no lo advertí. Hasta que me cerró el paso. [24] Era un agente de policía. Me asusté.

—¿El señor Claudio Álvarez?

—Sí, señor... —respondí humildemente.

—Pase usted... —indicó, franqueándome la entrada.

—¿Qué hace usted aquí? —me animé a murmurar.

—Dentro tendrá la explicación —fue la respuesta.

En el *hall*, cerca de la escalera, varios individuos de uniforme se habían adueñado del palacio. ¿Guillermo? Guillermo no estaba presente.

Julio, el mayordomo, amarillo, espectral trató de hablarme. Uno de los uniformados, canoso, adusto, el jefe del grupo por lo visto, le selló los labios con un gesto. Avanzó hacia mí, y me inspeccionó como a un cobayo.

—Usted es el mayor de los sobrinos, ¿verdad?

—Sí, señor... —murmuré.

—Lamento decírselo, señor. Su tío ha muerto... asesinado —anunció mi interlocutor. La voz era calma, grave—. Yo soy el

---

[22] *Habría*: see note 21.  [23] *de un trago*: in one gulp.  [24] *me cerró el paso*: he blocked my way.

inspector Villegas, y estoy a cargo de la investigación. ¿Quiere acompañarme a la otra sala?

—Dios mío —articulé anonadado—. ¡Es inaudito!

Las palabras sonaron a huecas, a hipócritas. (*¡Ese dichoso ve-*
*neno dejaba huellas! ¿Pero cómo... cómo?*)

—¿Puedo... puedo verlo? —pregunté.

—Por el momento, no. Además, quiero que me conteste algunas preguntas.

—Como usted disponga [25]... —accedí azorado.

Lo seguí a la biblioteca vecina. Tras él se deslizaron suavemente dos acólitos. El inspector Villegas me indicó un sillón y se sentó en otro. Encendió frugalmente un cigarrillo y con evidente grosería no me ofreció ninguno.

—Usted es el sobrino... Claudio. —Pareció que repetía una lección aprendida de memoria.

—Sí, señor.

—Pues bien: explíquenos qué hizo esta noche.

Yo también repetí una letanía.

—Cenamos los tres, juntos como siempre. Guillermo se retiró a su habitación. Quedamos mi tío y yo charlando un rato; pasamos a la biblioteca. Después jugamos nuestra habitual partida de ajedrez; me despedí de mi tío y salí. En el vestíbulo me encontré con Guillermo que descendía por las escaleras rumbo a la calle. Cambiamos unas palabras y me fui.

—Y ahora regresa...

—Sí...

—¿Y los criados?

—Mi tío deseaba quedarse solo. Los despachó después de cenar. A veces le acometían estas y otras manías.

—Lo que usted dice concuerda en gran parte con la declaración del mayordomo. Cuando éste regresó, hizo un recorrido por el edificio. Notó la puerta de la biblioteca entornada y luz adentro. Entró. Allí halló a su tío frente a un tablero de ajedrez, muerto. La partida interrumpida... De manera que jugaron la partidita, ¿eh?

[25] *Como usted disponga*: Just as you say.

Algo dentro de mí comenzó a saltar violentamente. Una sensación de zozobra, de angustia, me recorría con la velocidad de un pebete. En cualquier momento estallaría la pólvora. *¡Los consabidos solitarios de mi tío!* [26]

—Sí, señor... —admití.

No podía desdecirme. Eso también se lo había dicho a Guillermo. Y probablemente Guillermo al inspector Villegas. Porque mi hermano debía de estar en alguna parte. El sistema de la policía: aislarnos, dejarnos solos, inertes, indefensos, para pillarnos.

—Tengo entendido [27] que ustedes llevaban un registro de las jugadas. Para establecer los detalles en su orden, ¿quiere mostrarme su libretita de apuntes, señor Álvarez?

Me hundía en el cieno.

—¿Apuntes?

—Sí, hombre —el policía era implacable—, deseo verla, como es de imaginar. [28] Debo verificarlo todo, amigo; lo dicho y lo hecho por usted. [29] *Si jugaron como siempre...*

Comencé a tartamudear.

—Es que... —Y después, de un tirón: [30]— ¡Claro que jugamos como siempre!

Las lágrimas comenzaron a quemarme los ojos. Miedo. Un miedo espantoso. Como debió sentirlo tío Néstor cuando aquella «sensación de angustia... de muerte próxima..., enfriamiento profundo, generalizado...» Algo me taladraba el cráneo. Me empujaban. El silencio era absoluto, pétreo. Los otros también estaban callados. Dos ojos, seis ojos, ocho ojos, mil ojos. ¡Oh, qué angustia!

Me tenían... me tenían... Jugaban con mi desesperación... Se divertían con mi culpa...

De pronto, el inspector gruñó:

—¿Y?

Una sola letra ¡pero tanto!

—¿Y? —repitió—. Usted fue el último que lo vio con vida.

---

[26] *solitarios de mi tío*: games my uncle played alone.    [27] *Tengo entendido*: I understand.    [28] *como es de imaginar*: as you might imagine.    [29] *lo... usted*: what you said and what you did.    [30] *de un tirón*: all at once.

Y, además, muerto. El señor Álvarez no hizo anotación alguna esta vez, señor mío. [31]

No sé por qué me puse de pie. Tenso. Elevé mis brazos, los estiré. Me estrujé las manos, clavándome las uñas, y al final chillé con voz que no era la mía:

5 —¡Basta! Si lo saben, ¿para qué lo preguntan? ¡Yo lo maté! ¡Yo lo maté! ¿Y qué hay? [32] ¡Lo odiaba con toda mi alma! ¡Estaba cansado de su despotismo! ¡Lo maté! ¡Lo maté!

El inspector no lo tomó tan a la tremenda. [33]

10 —¡Cielos! —dijo—. Se produjo más pronto de lo que yo esperaba. Ya que se le soltó la lengua, [34] ¿dónde está el revólver?

El inspector Villegas no se inmutó. Insistió imperturbable.

—¡Vamos, no se haga el tonto [35] ahora! ¡El revólver! ¿O ha olvidado que lo liquidó de un tiro? ¡Un tiro en la mitad de la

15 frente, compañero! ¡Qué puntería!

# Exercises

## A. Cuestionario

1. ¿Qué crimen había cometido el narrador, Claudio Álvarez?
2. ¿Qué guardaban Claudio y su tío en sus libretas?
3. ¿Por qué odiaba a su tío el hermano de Claudio?
4. ¿Qué ultimátum le había lanzado Matilde a Guillermo?
5. ¿Cree Ud. que Claudio insultó a su hermano, diciendo «Después de todo, no te animarías, ¿verdad?»?
6. ¿Qué hizo Claudio con el frasquito de veneno?
7. ¿En dónde entró Claudio para calmar los nervios?
8. ¿Quiénes esperaban a Claudio cuando regresó a casa?

---

[31] *señor mío*: my good man.    [32] *¿Y qué hay?* And what of it?
[33] *no ... tremenda*: did not seem too surprised.    [34] *Ya ... lengua*: Since your tongue's loosened up.    [35] *no... todo*: don't play dumb.

9. ¿Dijo la verdad Claudio en todo lo que declaró al inspector?
10. ¿Cómo murió el tío Néstor?

## B. Key Expressions

Find the place in the story where the expressions occur and learn their meaning, checking the vocabulary again, if necessary.

1. echar a + *infinitive* (27:3)
2. acostumbrarse a (28:1)
3. al fin y al cabo (28:2)
4. a pesar de (28:4)
5. de pequeño(s) (28:5)
6. hacerse + *adjective* (28:6)
7. cada vez más (menos) (28: 6)
8. gustar (28:7)
9. en cambio (28:20)
10. sin embargo (28:26)
11. ¿Qué te (le) parece? (28: 30)
12. tener inconveniente en + *infinitive* (29:24)
13. ¿Qué te (le) pasa? (29:29)
14. de buena gana (29:30)
15. estar dispuesto a (29:32)
16. tomársela con (30:2)
17. resolver (30:9)
18. resultar (30:19)
19. en paz (30:21)
20. por temor a (31:8)
21. pensar en (31:13)
22. chocar con (31:20)
23. de un trago (32:11)
24. cerrar el paso (32:17)
25. a cargo de (33:1)
26. encontrarse con (33:22)
27. de manera que (33:34)
28. tener entendido (34:10)
29. como es de imaginar (34: 15)
30. con vida (34:32)
31. ponerse de pie (35:3)
32. ¿Qué hay? (35:7)
33. con toda el (mi, su, etc.) alma (35:7)

## C. Verb Exercise

Using the expressions in the right-hand column, give the Spanish for the English sentences on the left.

1. *a)* A policeman blocked my way.
   *b)* A train is blocking the way.

   *cerrar el paso*

2. *a)* I used to meet him every day in the street.
   *b)* Didn't you meet him at the café?

   *encontrarse con*

3. *a)* The automobile ran into a tree.
   *b)* I ran into a man at the corner.

   *chocar con*

4. *a)* Yes, the poison turned out to be very effective.   *resultar*

    *b)* I think that it will turn out well.

5. *a)* Who solved the problem?   *resolver*

    *b)* No one will be able to solve this.

6. *a)* The lights became more and more brilliant.   *hacerse*

    *b)* He says that the work will become more difficult.

7. *a)* Do you mind doing it now?   *tener inconve-*

    *b)* We wouldn't mind leaving at 6:45.   *niente en*

8. *a)* I understand that they're going tomorrow.   *tener entendido*

    *b)* María understood that he didn't want to come.

9. *a)* Luis is always picking on me.   *tomársela con*

    *b)* He would often quarrel with his wife.

10. *a)* You've always been inclined toward tragedy.   *estar dispuesto a*

    *b)* His uncle wasn't inclined toward saving.

## D. Drill on New Expressions

From the expressions on the right, select the one corresponding to the italicized English words on the left and rewrite the entire sentence in Spanish.

1. I don't know who's *in charge of* the investigation.

2. Please, Anita, leave me *alone!*

3. We didn't do it *for fear of* the consequences.

4. Watch, I'll finish it *in one gulp*.

5. Luisa and José went to the movies *in spite of* what her parents had said.

6. For the first time *he thought about* the word «murderer».

con toda el alma
pensar en
al fin y al cabo
como es de imaginar
a cargo de
de un trago
por temor a
con vida
a pesar de
en paz

7. *After all,* he was Diego's only friend.
8. I'm very interested in that problem, *as you might imagine.*
9. Who was the last person to see her *alive?*
10. He loved his children *with all his heart.*

## E.  Review Exercise

Following is a list of new verbs found in this story. Their meaning—if not immediately clear—could have been guessed; for the «core» of each is a noun, adjective, or verb with which you are likely already familiar. See if you can spot the familiar element in these new verbs, then give their meaning. (This suggests another way of increasing your «recognition» vocabulary.)

| | | | | |
|---|---|---|---|---|
| acostumbrarse | desdecir | enamorarse | enloquecer | aislar |
| alejarse | malgastar | alargar | necesitar | ambicionar |

Amado Nervo

# EL ÁNGEL CAÍDO

# Amado Nervo — Poet and Prose Stylist

AMADO NERVO *(1870-1919) was born in Mexico and began his public career as a journalist. Later he became a diplomat representing Mexico in Spain, Argentina, and Uruguay. Before the turn of the century, he was associated with the Modernist movement in literature and early established a reputation as a* modernista *poet. Though Nervo is remembered today mainly for his poetry, he wrote many stories, and his novel* El bachiller, *published when he was twenty-six, was a considerable, though somewhat scandalous, success.*

*In the story «El ángel caído» the vision and delicate expression of the poet are evident. There is humor, too, together with a profound religious feeling which is fundamental to all of Nervo's best poetry. The style is lucid, and there is a gentleness and simplicity of spirit about it that is perfectly suited to the telling of this humble miracle of innocence.*

# El ángel caído

*Cuento de Navidad, dedicado a
mi sobrina María de los Ángeles*

Érase un ángel [1] que, por brincar más de la cuenta [2] sobre una
nube crepuscular teñida de violetas, perdió pie y cayó lastimosamente a la tierra.

Su mala suerte quiso que, en vez de dar sobre [3] el fresco
5 césped, diese contra bronca piedra, [4] de modo y manera que el
cuitado se estropeó un ala, el ala derecha, por más señas. [5]

Allí quedó despatarrado, [6] sangrando, y aunque daba voces de
socorro, [7] como no es usual que en la tierra se comprenda el idioma
de los ángeles, nadie acudía en su auxilio.

[1] *Érase un ángel*: Once upon a time there was an angel.   [2] *más de
la cuenta*: more than he should have.   [3] *dar sobre*: landing on.   [4] *diese contra bronca piedra*: fell on solid rock.   [5] *por más señas*: to be
specific.   [6] *despatarrado*: with his legs spread.   [7] *daba voces de socorro*: called for help.

En esto [8] acertó a pasar no lejos un niño que volvía de la escuela, y aquí empezó la buena suerte del caído, [9] porque como los niños sí suelen comprender [10] la lengua angélica (en el siglo xx mucho menos, pero en fin [11]...) el chico se acercó al mísero, y sorprendido primero y compadecido después, le tendió la mano y le 5 ayudó a levantarse.

Los ángeles no pesan, y la leve fuerza del niño bastó y sobró [12] para que aquél se pusiese en pie.

Su salvador le ofreció el brazo y se vio entonces el más raro espectáculo; un niño conduciendo a un ángel por los senderos de 10 este mundo.

Cojeaba el ángel lastimosamente, ¡es claro! [13] Le acontecía lo que acontece a los que nunca andan descalzos; el menor guijarro le pinchaba de un modo atroz. Su aspecto era lamentable. Con el ala rota dolorosamente plegada, manchado de sangre y lodo el 15 plumaje resplandeciente, el ángel estaba para dar compasión. [14]

Cada paso le arrancaba un grito; los maravillosos pies de nieve empezaban a sangrar también.

—No puedo más [15] —dijo al niño.

Y éste, que tenía su miaja de sentido práctico, le respondió, 20

—A ti (porque desde un principio se tutearon) a ti lo que te falta es un par de zapatos. Vamos a casa, diré a mamá que te los compre.

—¿Y qué es esto de zapatos? [16] —preguntó el ángel.

—Pues mira —contestó el niño mostrándole los suyos—; algo 25 que yo rompo mucho y que me cuesta buenos regaños. [17]

—Y yo he de ponerme esto tan feo...

—Claro... ¡o no andas! Vamos a casa. Allí mamá te frotará con árnica y te dará zapatos.

—Pero si [18] ya no me es posible andar... ¡cárgame! 30

---

[8] *En esto*: just then.   [9] *del caído*: of the fallen one.   [10] *los niños... comprender*: children usually do understand. (The *sí* here serves to emphasize the verb.)   [11] *en fin*: anyway.   [12] *bastó y sobró*: was more than enough.   [13] *¡es claro!* naturally!   [14] *estaba para dar compasión*: was a pitiful sight.   [15] *No puedo más*: I can't go on anymore.   [16] *¿Y... zapatos?* And what's this talk about shoes?   [17] *que... regaños*: which gets me lots of scoldings.   [18] *si*: should not be translated.

—¿Podré contigo? [19]

—¡Ya lo creo!

Y el niño alzó en vilo [20] a su compañero, sentándolo en su hombro, como lo hubiera hecho un diminuto San Cristóbal. [21]

5 —¡Gracias! —suspiró el herido—; qué bien estoy así... [22] ¿Verdad que no peso? [23]

—¡Es que yo tengo fuerzas! —respondió el niño con cierto orgullo y no queriendo confesar que su celeste bulto era más ligero que uno de plumas.

10 En esto se acercaban al lugar, [24] y les aseguro a ustedes que no era menos extraño ahora que antes el espectáculo de un niño que llevaba en brazos a un ángel, al revés de lo que nos muestran las estampas.

Cuando llegaron a la casa, sólo unos cuantos chicuelos curio-
15 sos los seguían. Los hombres, muy ocupados en sus negocios, las mujeres que comadreaban en las plazuelas y al borde de las fuentes, no se habían fijado en que pasaban un niño y un ángel. Sólo un poeta que divagaba por aquellos contornos, asombrado, clavó en ellos los ojos y sonriendo beatamente los siguió durante buen es-
20 pacio de tiempo con la mirada... Después se alejó pensativo...

Grande fue la piedad de la madre del niño cuando éste le mostró a su alirroto compañero.

—¡Pobrecillo! [25] —exclamó la buena señora—; le dolerá mucho el ala, [26] ¿eh?

25 El ángel, al sentir que le hurgaban la herida, dejó oír un lamento armonioso. [27] Como nunca había conocido el dolor, era más sensible a él que los mortales, forjados para la pena. [28]

---

[19] *¿Podré contigo?* Will I be able to carry you?   [20] *en vilo:* up in the air.   [21] *Como... San Cristóbal:* as a little St. Christopher might have done. (St. Christopher is the patron saint of travelers.)   [22] *qué bien estoy así:* this is very comfortable.   [23] *¿Verdad que no peso?* Didn't I tell you I wasn't heavy?   [24] *al lugar:* the village.   [25] *¡Pobrecillo!* Poor thing.   [26] *le dolerá... ala:* his wing must really hurt him. (Note again the use of the future to suggest conjecture.)   [27] *dejó... armonioso:* let out a harmonious wail.   [28] *era... pena:* he was more sensitive to pain than mortals, who were constructed to withstand it.

Pronto la caritativa dama le vendó el ala, a decir verdad con trabajo, [29] porque era tan grande que no bastaban los trapos, y más aliviado, y lejos ya de las piedras del camino, el ángel pudo ponerse en pie y enderezar su esbelta estatura.

Era maravilloso de belleza. [30] Su piel translúcida parecía ilu- 5 minada por suave luz interior y sus ojos, de un hondo azul de incomparable diafanidad, miraban de manera que cada mirada producía un éxtasis.

—Los zapatos, mamá, eso es lo que le hace falta. Mientras no tenga zapatos, ni María ni yo (María era su hermana) podremos 10 jugar con él —dijo el niño.

Y esto era lo que le interesaba sobre todo: jugar con el ángel.

A María, que acababa de llegar también de la escuela, y que no se hartaba de contemplar al visitante, lo que le interesaba más eran las plumas; aquellas plumas gigantescas, nunca vistas, [31] de 15 ave del Paraíso, de quetzal [32] heráldico... de quimera, que cubrían las alas del ángel. Tanto que no pudo contenerse, y acercándose al celeste herido, le cuchicheó estas palabras:

—Di, ¿te dolería que te arrancase yo una pluma? [33] La deseo para mi sombrero... 20

—Niña —exclamó la madre, indignada, aunque no comprendía del todo aquel lenguaje.

Pero el ángel, con la más bella de sus sonrisas, le respondió extendiendo el ala sana.

—¿Cuál te gusta? 25

—Esta tornasolada...

—¡Pues tómala!

Y se la arrancó resuelto, con movimiento lleno de gracia, extendiéndola a su nueva amiga, quien se puso a contemplarla embelesada. 30

[29] *a decir... trabajo*: to be truthful, with some difficulty. [30] *Era maravilloso de belleza*: He was marvelously beautiful. [31] *nunca vistas*: never before seen. [32] *quetzal*: tropical American climbing bird, with soft iridescent green and red feathers. [33] *Di... pluma?* Say, would it hurt you if I pulled a feather out?

No hubo manera de que ningún zapato le viniese al ángel. [34] Tenía el pie muy chico, y alargado en una forma deliciosamente aristocrática, incapaz de adaptarse a las botas americanas (únicas que había en el pueblo), las cuales le hacían un daño tremendo, de
5 suerte que cojeaba peor que descalzo.

La niña fue quien [35] sugirió, al fin, la buena idea:

—Que le traigan —dijo— unas sandalias. [36] Yo he visto a San Rafael [37] con ellas, en las estampas en que lo pintan de viaje, [38] con el joven Tobías, [39] y no parecen molestarle en lo más mí-
10 nimo. [40]

El ángel dijo que, en efecto, algunos de sus compañeros las usaban para viajar por la tierra; pero que eran de un material finísimo, más rico que el oro, y estaban cuajadas de piedras preciosas. San Crispín, el bueno de San Crispín, [41] las fabricaba.

15 —Pues aquí —observó la niña— tendrás que contentarte con unas menos lujosas, y déjate de santos [42] si las encuentras.

* * *

Por fin, el ángel, calzado con sus sandalias y bastante restablecido de su mal, pudo ir y venir por toda la casa.

Era adorable escena verle jugar con los niños. Parecía un
20 gran pájaro azul, con algo de mujer y mucho de paloma, y hasta en lo zurdo de su andar [43] había gracia y señorío.

Podía ya mover el ala enferma, y abría y cerraba las dos con movimientos suaves y con un gran rumor de seda, abanicando a sus amigos.

25 Cantaba de un modo admirable, y refería a sus dos oyentes historias más bellas que todas las inventadas por los hijos de los hombres.

[34] No... ángel: There was no way of getting a shoe on the angel.
[35] quien: the one who.   [36] Que... sandalias: Let's get him some sandals.   [37] San Rafael: one of the Archangels.   [38] lo pintan de viaje: they show him traveling.   [39] Tobías: a Biblical Jew celebrated for his piety. He was taken to the land of the Medes by the Archangel Raphael.
[40] en lo más mínimo: in the least.   [41] el bueno de San Crispín: good old St. Crispin. (St. Crispin is the patron saint of shoemakers.)
[42] y déjate de santos: and don't worry about what the saints do.
[43] en... andar: in the clumsy way he walked.

No se enfadaba jamás. Sonreía casi siempre, y de cuando en cuando se ponía triste.

Y su faz, que era muy bella cuando sonreía, era incomparablemente más bella cuando se ponía pensativa y melancólica, porque adquiría una expresión nueva que jamás tuvieron los rostros 5 de los ángeles y que tuvo siempre la faz del Nazareno, [44] a quien, según la tradición nunca se le vio reír y sí se le vio muchas veces llorar. [45]

Esta expresión de tristeza augusta fue, quizá, lo único que se llevó el ángel de su paso por la tierra... 10

\* \* \*

¿Cuántos días transcurrieron así? Los niños no hubieran podido contarlos; la sociedad de los ángeles, la familiaridad con el Ensueño, tienen el don de elevarnos a planos superiores, donde nos sustraemos a las leyes del tiempo.

El ángel, enteramente bueno ya, podía volar, y en sus juegos 15 maravillaba a los niños, lanzándose al espacio con una majestad suprema; cortaba para ellos la fruta de los más altos árboles, y, a veces, los cogía a los dos en sus brazos y volaba de esta suerte. [46]

Tales vuelos, que constituían el deleite mayor para los chicos, alarmaban profundamente a la madre. 20

—No vayáis a dejarlos caer por inadvertencia, [47] señor Ángel —le gritaba la buena mujer—. Os confieso que no me gustan juegos tan peligrosos...

Pero el ángel reía y reían los niños, y la madre acababa por reír también, al ver la agilidad y la fuerza con que aquél los cogía 25 en sus brazos, y la dulzura infinita con que los depositaba sobre

[44] *el Nazareno*: Jesus Christ.    [45] *nunca... llorar*: was never seen to laugh, but *was* seen to weep many times. (Note again the use of *sí* for emphasis.)    [46] *de esta suerte*: in this manner.    [47] *No... inadvertencia*: Don't go and let them accidentally fall. (The mother, to show extreme respect, addresses the angel in the second person plural, which has all but passed from conversational usage in Spanish America.)

el césped del jardín... ¡Se hubiera dicho que hacía su aprendizaje de Ángel Custodio! [48]

—Sois muy fuerte, señor Ángel —decía la madre, llena de pasmo.

5 Y el ángel, con cierta inocente suficiencia infantil, respondía:

—Tan fuerte, que podría zafar de su órbita a una estrella.

\* \* \*

Una tarde, los niños encontraron al ángel sentado en un poyo de piedra, cerca del muro del huerto, en actitud de tristeza más honda que cuando estaba enfermo.

10 —¿Qué tienes? [49] —le preguntaron al unísono.

—Tengo —respondió— que ya estoy bueno; [50] que no hay ya pretexto para que permanezca con vosotros...; [51] ¡que me llaman de allá arriba, y que es fuerza que me vaya! [52]

—¿Que te vayas? [53] ¡Eso, nunca! —replicó la niña.

15 —¡Eso, nunca! —repitió el niño.

—¿Y qué he de hacer si me llaman?...

—Pues no ir...

—¡Imposible!

Hubo una larga pausa llena de angustia.

20 Los niños y el ángel lloraban.

De pronto, la chica, más fértil en expedientes, como mujer, dijo:

—Hay un medio de que no nos separemos... [54]

—¿Cuál? —preguntó el ángel, ansioso.

25 —Que nos lleves contigo.

—¡Muy bien! —afirmó el niño palmoteando.

---

[48] *¡Se... Custodio!* One would have said that he was serving his apprenticeship to become a Guardian Angel! [49] *¿Qué tienes?* What's wrong? [50] *Tengo... bueno:* I'm well now—that's what's wrong. [51] *vosotros:* Note that the angel uses *vosotros* for the plural of *you*. This non-Spanish-American usage lends an odd flavor to his speech. [52] *es fuerza que me vaya:* I have to leave. [53] *¿Que te vayas?* Have to leave? [54] *Hay... separemos:* There's one way that we won't have to be separated.

Y con divina confusión, los tres se pusieron a bailar como unos locos.

Pasados, empero, estos transportes,[55] la niña se quedó pensativa, y murmuró:

—Pero ¿y nuestra madre?  5

—¡Eso es![56] —corroboró el ángel—; ¿y vuestra madre?

—Nuestra madre —sugirió el niño— no sabrá nada... Nos iremos sin decírselo..., y cuando esté triste, vendremos a consolarla.

—Mejor sería llevarla con nosotros —dijo la niña.

—¡Me parece bien! —afirmó el ángel—. Yo volveré por ella. 10

—¡Magnífico!

—¿Estáis, pues, resueltos?

—Resueltos estamos.

* * *

Caía la tarde fantásticamente, entre niágaras de oro.

El ángel cogió a los niños en sus brazos, y de un solo ímpetu 15 se lanzó con ellos al azul luminoso.

La madre en esto llegaba al jardín, y todo trémula los vio alejarse.

El ángel, a pesar de la distancia, parecía crecer. Era tan diáfano, que a través de sus alas se veía el sol. 20

La madre, ante el milagroso espectáculo, no pudo ni gritar.[57] Se quedó alelada, viendo volar hacia las llamas del ocaso aquel grupo indecible, y cuando, más tarde, el ángel volvió al jardín por ella, la buena mujer estaba aún en éxtasis.

---

[55] *Pasados, empero, estos transportes*: Nevertheless, when these raptures were over.  [56] *¡Eso es!* That's right.  [57] *no pudo ni gritar*: couldn't even cry out.

# Exercises

## A. Cuestionario

1. ¿Por qué cayó el ángel a la tierra?
2. ¿Quién ayudó al ángel a levantarse?
3. ¿Qué le faltaba al ángel para que caminara sin sufrir?
4. ¿Cómo llevó el niño al ángel hasta su casa?
5. ¿Qué sugirió María para el ángel en vez de zapatos?
6. ¿Qué parecía el ángel mientras jugaba con los niños?
7. ¿Cómo divertía el ángel a los niños?
8. ¿Por qué estaba el ángel en una actitud de tristeza un día?
9. ¿Qué medio sugirió la chica al ángel para no separarse?
10. ¿Hasta dónde los llevó el ángel a la madre y a sus hijos?

## B. Key Expressions

Find the place in the story where these expressions occur and learn their meaning, checking the vocabulary, if necessary.

1. en vez de (41:4)
2. dar sobre (41:4)
3. por más señas (41:6)
4. en fin (42:4)
5. acercarse a (42:4)
6. ayudar a + *infinitive* (42:6)
7. ponerse en (de) pie (42:8)
8. acontecer (42:13)
9. estar para dar compasión (42:16)
10. empezar a + *infinitive* (42:18)
11. no poder más (42:19)
12. tutearse (42:21)
13. ¿Qué es esto de...? (42:24)
14. al revés de (43:12)
15. unos cuantos (43:14)
16. fijarse en (43:17)
17. alejarse (43:20)
18. éste (43:21)
19. hacer falta (44:9)
20. ponerse a + *infinitive* (44:29)
21. hacer daño (45:4)
22. de suerte que (45:5)
23. de cuando en cuando (46:1)
24. ponerse + *adjective* (46:2)
25. llevarse (46:10)
26. acabar por + *infinitive* (46:24)
27. ¿Qué tienes (tiene)? (47:10)

28. haber de + *infinitive* (47:
   16)
29. de pronto (47:21)

30. a través de (48:20)
31. más tarde (48:23)

## C. Verb Exercise

Using the expressions in the right-hand column, give the Spanish for the English sentences on the left.

1. *a)* We began to understand him better.     *empezar a*
   *b)* They'll begin to leave in a few minutes.

2. *a)* Why don't we speak to each other in     *tutearse*
   the familiar form?
   *b)* From the first moment, they spoke to
   each other in the *tú* form.

3. *a)* We're to be here at nine o'clock.     *haber de*
   *b)* They were supposed to prepare one
   lesson a day.

4. *a)* I had never noticed that.     *fijarse en*
   *b)* Don't you notice *anything?*

5. *a)* We would stand up when the teacher     *ponerse en (de)*
   entered.     *pie*
   *b)* Paco, stand up right now!

6. *a)* The train drew away from the city.     *alejarse*
   *b)* We had to move away from the fire.

7. *a)* I need two strong arms.     *hacer falta*
   *b)* Didn't you need more money?

8. *a)* Be careful! I don't want to hurt him.     *hacer daño*
   *b)* Go on, the dog won't hurt you.

9. *a)* What happened then?     *acontecer*
   *b)* That used to happen every day.

10. *a)* Help me raise this.     *ayudar a*
    *b)* She helped him write the letter to his
    parents.

## D. Drill on New Expressions

From the expressions on the right, select the one corresponding to the italicized words on the left and rewrite the entire sentence in Spanish.

1. The old man *was a pitiful sight.*

2. *What's all this about* angels that fall?

3. Let's bring him sandals *instead of* shoes.

4. We saw them *across* the fields.

5. Well, *anyway,* that's what they told me.

6. He was seen to smile *once in a while.*

7. He bought a car, his uncle's *to be exact.*

8. She learned to drive secretly, *so* her father didn't find out.

9. She'll probably do it *just the opposite from what* she's told.

10. *Later,* they went out to play with the neighbor's children.

por más señas
más tarde
en fin
de suerte (manera)
que
qué es esto de
al revés de
de cuando en cuando
en vez de
a través de
estaba para dar compasión

Horacio Quiroga

# JUAN DARIÉN

# The Sunshine and Shadow of Horacio Quiroga

HORACIO QUIROGA *(1878-1937), an Uruguayan by birth, spent much of his life in the Argentine province of Misiones. Throughout his career as a writer, this tropical region along the Paraná River offered him a colorful background for dozens of the memorable stories upon which is based his reputation as one of Spanish America's finest short story writers. His life was marked by tragedy and poor health, and this was reflected in a good part of his work. In addition to the influence of Edgar Allan Poe and the French Parnassians, which Quiroga acknowledged in his somber stories, he admitted a similar literary debt to Rudyard Kipling. Kipling's* Jungle Books *and* Just So Stories, *written for a young audience, undoubtedly inspired many of Quiroga's brighter tales, such as those in his widely known* Cuentos de la selva *(1918).*

*«Juan Darién» is taken from the mixed collection of stories entitled* El desierto *(1924). Although here we once more have the jungle setting so characteristic of the charming tales mentioned above, it is apparent that this story is pervaded by a bitter tone of disillusionment and revenge—a quality that dramatically reveals the darker side of Quiroga's nature.*

54

# Juan Darién

Aquí se cuenta la historia de un tigre que se crió y educó
entre los hombres, y que se llamaba Juan Darién. Asistió cuatro
años a la escuela vestido de pantalón y camisa, y dio sus lecciones
corrientemente, [1] aunque era un tigre de las selvas; pero esto se
5   debe a que su figura era de hombre, conforme [2] se narra en las
siguientes líneas.

Una vez, a principios de otoño, la viruela visitó un pueblo
de un país lejano y mató a muchas personas. Los hermanos perdieron a sus hermanitas, y las criaturas que comenzaban a caminar
10  quedaron sin padre ni madre. Las madres perdieron a su vez a
sus hijos, y una pobre mujer joven y viuda llevó ella misma a enterrar a su hijito, lo único que tenía en este mundo. Cuando volvió

---

[1] *dio sus lecciones corrientemente*: he recited his lessons in the usual
way. In Spanish, students «give» lessons and examinations and teachers
«take» them, just the opposite of English usage.   [2] *conforme*: according
to the way.

a su casa, se quedó sentada pensando en su chiquito. Y murmuraba:

—Dios debía haber tenido más compasión de mí, y me ha llevado a mi hijo. En el cielo podrá haber ángeles, [3] pero mi hijo no los conoce. Y a quien él conoce bien es a mí, [4] ¡pobre hijo mío! 5

Y miraba a lo lejos, pues estaba sentada en el fondo de su casa, frente a un portoncito donde se veía la selva.

Ahora bien; en la selva había muchos animales feroces que rugían al caer la noche y al amanecer. Y la pobre mujer, que continuaba sentada, alcanzó a ver en la obscuridad una cosa chiquita 10 y vacilante que entraba por la puerta, como un gatito que apenas tuviera fuerzas para caminar. La mujer se agachó y levantó en las manos un tigrecito de pocos días, pues aún tenía los ojos cerrados. Y cuando el mísero cachorro sintió el contacto de las manos, runruneó de contento, [5] porque ya no estaba solo. La madre tuvo 15 largo rato suspendido en el aire aquel pequeño enemigo de los hombres, a aquella fiera indefensa que tan fácil le hubiera sido exterminar. Pero quedó pensativa ante el desvalido cachorro que venía quién sabe de dónde, y cuya madre con seguridad había muerto. Sin pensar bien en lo que hacía llevó al cachorrito a su 20 seno y lo rodeó con sus grandes manos. Y el tigrecito, al sentir el calor del pecho, buscó postura cómoda, runruneó tranquilo y se durmió con la garganta adherida al seno maternal.

La mujer, pensativa siempre, entró en la casa. Y en el resto de la noche, al oír los gemidos de hambre del cachorrito, y al 25 ver cómo buscaba su seno con los ojos cerrados, sintió en su corazón herido que, ante la suprema ley del Universo, una vida equivale a otra vida...

Y dio de mamar [6] al tigrecito.

El cachorro estaba salvado, y la madre había hallado un 30 inmenso consuelo. Tan grande su consuelo, que vio con terror el momento en que aquél le sería arrebatado, porque si se llegaba a saber [7] en el pueblo que ella amamantaba a un ser salvaje, ma-

---

[3] *podrá haber ángeles*: maybe there are angels.    [4] *Y... mí*: And I'm the one he knows well.    [5] *de contento*: with happiness.    [6] *dio de mamar*: she nursed.    [7] *si... saber*: if people found out.

tarían con seguridad a la pequeña fiera. ¿Qué hacer? El cachorro, suave y cariñoso —pues jugaba con ella sobre su pecho—, era ahora su propio hijo.

En estas circunstancias, un hombre que una noche de lluvia
5 pasaba corriendo ante la casa de la mujer oyó un gemido áspero —el ronco gemido de las fieras que, aun recién nacidas, sobresaltan al ser humano—. El hombre se detuvo bruscamente, y mientras buscaba a tientas el revólver, golpeó la puerta. La madre, que había oído los pasos, corrió loca de angustia a ocultar al
10 tigrecito en el jardín. Pero su buena suerte quiso que al abrir la puerta del fondo se hallara ante una mansa, vieja y sabia serpiente que le cerraba el paso. La desgraciada mujer iba a gritar de terror, cuando la serpiente habló así:

—Nada temas, mujer —le dijo—. Tu corazón de madre te
15 ha permitido salvar una vida del Universo, donde todas las vidas tienen el mismo valor. Pero los hombres no te comprenderán, y querrán matar a tu nuevo hijo. Nada temas, ve tranquila. Desde este momento tu hijo tiene forma humana; nunca le reconocerán. Forma su corazón, enséñale a ser bueno como tú, y él no sabrá
20 jamás que no es hombre. A menos... a menos que una madre de entre los hombres lo acuse; a menos que una madre no le exija que devuelva con su sangre lo que tú has dado por él, tu hijo será siempre digno de ti. Ve tranquila, madre, y apresúrate, que el hombre va a echar la puerta abajo.

25 Y la madre creyó a la serpiente, porque en todas las religiones de los hombres la serpiente conoce el misterio de las vidas que pueblan los mundos. Fue, pues, corriendo a abrir la puerta, y el hombre, furioso, entró con el revólver en la mano y buscó por todas partes sin hallar nada. Cuando salió, la mujer abrió,
30 temblando, el rebozo bajo el cual ocultaba al tigrecito sobre su seno, y en su lugar vio a un niño que dormía tranquilo. Traspasada de dicha, lloró largo rato en silencio sobre su salvaje hijo hecho hombre; lágrimas de gratitud que doce años más tarde ese mismo hijo debía pagar con sangre sobre su tumba.

35 Pasó el tiempo. El nuevo niño necesitaba un nombre: se le puso Juan Darién. Necesitaba alimentos, ropa, calzado: se le dotó

de todo, para lo cual la madre trabajaba día y noche. Ella era aún muy joven, y podría haberse vuelto a casar, [8] si hubiera querido; pero le bastaba el amor entrañable de su hijo, amor que ella devolvía con todo su corazón.

Juan Darién era, efectivamente, digno de ser querido: noble, 5 bueno y generoso como nadie. Por su madre, en particular, tenía una veneración profunda. No mentía jamás. ¿Acaso por ser un ser salvaje en el fondo de su naturaleza? Es posible; pues no se sabe aún qué influencia puede tener en un animal recién nacido la pureza de una alma bebida con la leche en el seno de una 10 santa mujer.

Tal era Juan Darién. E iba a la escuela con los chicos de su edad, los que se burlaban a menudo de él, a causa de su pelo áspero y su timidez. Juan Darién no era muy inteligente; pero compensaba esto con su gran amor al estudio. 15

Así las cosas, cuando la criatura iba a cumplir diez años, su madre murió. Juan Darién sufrió lo que no es decible, hasta que el tiempo apaciguó su pena. Pero fue en adelante un muchacho triste, que sólo deseaba instruirse.

Algo debemos confesar ahora: a Juan Darién no se le amaba 20 en el pueblo. La gente de los pueblos encerrados en la selva no gustan de los muchachos demasiado generosos y que estudian con toda el alma. Era, además, el primer alumno de la escuela. Y este conjunto precipitó el desenlace con un acontecimiento que dio razón a la profecía de la serpiente. [9] 25

Aprontábase el pueblo a celebrar una gran fiesta, y de la ciudad distante habían mandado fuegos artificiales. En la escuela se dio un repaso general a los chicos, pues un inspector debía venir a observar las clases. Cuando el inspector llegó, el maestro hizo dar la lección al primero de todos: a Juan Darién. Juan 30 Darién era el alumno más aventajado; pero con la emoción del caso, tartamudeó y la lengua se le trabó con un sonido extraño.

El inspector observó al alumno un largo rato, y habló enseguida en voz baja con el maestro.

---

[8] *podría... casar*: she could have gotten married again.    [9] *dio... serpiente*: made the serpent's prophecy come true.

—¿Quién es ese muchacho? —le preguntó—. ¿De dónde ha salido?

—Se llama Juan Darién —respondió el maestro—, y lo crió una mujer que ya ha muerto; pero nadie sabe de dónde ha venido.

5 —Es extraño, muy extraño... —murmuró el inspector, observando el pelo áspero y el reflejo verdoso que tenían los ojos de Juan Darién cuando estaba en la sombra.

El inspector sabía que en el mundo hay cosas mucho más extrañas que las que nadie [10] puede inventar, y sabía al mismo 10 tiempo que con preguntas a Juan Darién nunca podría averiguar si el alumno había sido antes lo que él temía: esto es, un animal salvaje. Pero así como hay hombres que en estados especiales recuerdan cosas que les han pasado a sus abuelos, así era también posible que, bajo una sugestión hipnótica, Juan Darién recordara 15 su vida de bestia salvaje.

Por lo cual el inspector subió a la tarima y habló así:

—Bien, niño. Deseo ahora que uno de ustedes nos describa la selva. Ustedes se han criado casi en ella y la conocen bien. ¿Cómo es la selva? ¿Qué pasa en ella? Esto es lo que quiero 20 saber. Vamos a ver, tú —añadió dirigiéndose a un alumno cualquiera [11]—. Sube a la tarima y cuéntanos lo que hayas visto.

El chico subió, y aunque estaba asustado, habló un rato. Dijo que en el bosque hay árboles gigantes, enredaderas y florecillas. Cuando concluyó, pasó otro chico a la tarima, y después 25 otro. Y aunque todos conocían bien la selva, todos respondieron lo mismo, porque los chicos y muchos hombres no cuentan lo que ven, sino lo que han leído sobre lo mismo que acaban de ver. Y al fin el inspector dijo:

—Ahora le toca al alumno Juan Darién. [12]

30 Juan Darién dijo más o menos lo que los otros. Pero el inspector, poniéndole la mano sobre el hombro, exclamó:

—No, no. Quiero que tú recuerdes bien lo que has visto. Cierra los ojos.

---

[10] *nadie*: anyone.   [11] *un alumno cualquiera*: the first student he saw.
[12] *le... Darién*: it's Juan Darién's turn.

Juan Darién cerró los ojos.

—Bien —prosiguió el inspector—. Dime lo que ves en la selva.

Juan Darién, siempre con los ojos cerrados, demoró un instante en contestar.

—Pronto vas a ver. Figurémonos que son las tres de la mañana, poco antes del amanecer. Hemos concluido de comer, por ejemplo... Estamos en la selva, en la obscuridad... Delante de nosotros hay un arroyo... ¿Qué ves?

Juan Darién pasó otro momento en silencio. Y en la clase y en el bosque próximo había también un gran silencio. De pronto Juan Darién se estremeció, y con voz lenta, como si soñara, dijo:

—Veo las piedras que pasan y las ramas que se doblan... Y el suelo... Y veo las hojas secas que se quedan aplastadas sobre las piedras...

—¡Un momento! —le interrumpió el inspector—. Las piedras y las hojas que pasan, ¿a qué altura las ves?

El inspector preguntaba esto porque si Juan Darién estaba «viendo» efectivamente lo que él hacía en la selva cuando era animal salvaje e iba a beber después de haber comido, vería también que las piedras que encuentra un tigre o una pantera que se acercan muy agachados al río pasan a la altura de los ojos. Y repitió:

—¿A qué altura ves las piedras?

Y Juan Darién, siempre con los ojos cerrados, respondió:

—Pasan sobre el suelo... Rozan las orejas... Y las hojas sueltas se mueven con el aliento... Y siento la humedad del barro en...

La voz de Juan Darién se cortó.

—¿En dónde? —preguntó con voz firme el inspector—. ¿Dónde sientes la humedad del agua?

—¡En los bigotes! —dijo con voz ronca Juan Darién, abriendo los ojos espantado.

Comenzaba el crepúsculo, y por la ventana se veía cerca la selva ya lóbrega. Los alumnos no comprendieron lo terrible de aquella evocación; pero tampoco se rieron de esos extraordinarios bigotes de Juan Darién, que no tenía bigote alguno. Y no se rieron, porque el rostro de la criatura estaba pálido y ansioso.

La clase había concluido. El inspector no era un mal hombre; pero, como todos los hombres que viven muy cerca de la selva, 5 odiaba ciegamente a los tigres; por lo cual dijo en voz baja al maestro:

—Es preciso matar a Juan Darién. Es una fiera del bosque, posiblemente un tigre. Debemos matarlo, porque, si no, él, tarde o temprano, nos matará a todos. Hasta ahora su maldad de fiera 10 no ha despertado; pero explotará un día u otro, y entonces nos devorará a todos, puesto que le permitimos vivir con nosotros. Debemos pues, matarlo. La dificultad está en que no podemos hacerlo mientras tenga forma humana, porque no podremos probar ante todos que es un tigre. Parece un hombre, y con los hombres 15 hay que proceder con cuidado. Yo sé que en la ciudad hay un domador de fieras. Llamémoslo, y él hallará modo de que Juan Darién vuelva a su cuerpo de tigre. Y aunque no pueda convertirlo en tigre, las gentes nos creerán y podremos echarlo a la selva. Llamemos en seguida al domador, antes que Juan Darién se escape.

20 Pero Juan Darién pensaba en todo menos en escaparse, [13] porque no se daba cuenta de nada. ¿Cómo podía creer que él no era hombre, cuando jamás había sentido otra cosa que amor a todos, y ni siquiera tenía odio a los animales dañinos?

Mas las voces fueron corriendo de boca en boca, [14] y Juan 25 Darién comenzó a sufrir sus efectos. No le respondían una palabra, se apartaban vivamente a su paso, y lo seguían desde lejos de noche.

—¿Qué tendré? ¿Por qué son así conmigo? —se preguntaba Juan Darién.

30 Y ya no solamente huían de él, sino que los muchachos le gritaban:

—¡Fuera de aquí! ¡Vuélvete donde has venido! ¡Fuera!

Los grandes también, las personas mayores, no estaban menos enfurecidas que los muchachos. Quién sabe qué llega a pasar [15]

[13] *pensaba... escaparse*: thought about anything but escaping. [14] *Mas ... boca*: But the news began to spread. [15] *qué llega a pasar*: what would have happened.

si la misma tarde de la fiesta no hubiera llegado por fin el ansiado domador de fieras. Juan Darién estaba en su casa preparándose la pobre sopa que tomaba, cuando oyó la gritería de las gentes que avanzaban precipitadas hacia su casa. Apenas tuvo tiempo de salir a ver qué era: Se apoderaron de él, arrastrándolo hasta la 5 casa del domador.

—¡Aquí está! —gritaban, sacudiéndolo—. ¡Es éste! ¡Es un tigre! ¡No queremos saber nada con [16] tigres! ¡Quítele su figura de hombre y lo mataremos!

Y los muchachos, sus condiscípulos a quienes más quería, y 10 las mismas personas viejas, gritaban:

—¡Es un tigre! ¡Juan Darién nos va a devorar! ¡Muera Juan Darién! [17]

Juan Darién protestaba y lloraba porque los golpes llovían sobre él, y era una criatura de doce años. Pero en ese momento 15 la gente se apartó, y el domador, con grandes botas de charol, levita roja y un látigo en la mano, surgió ante Juan Darién. El domador lo miró fijamente, y apretó con fuerza el puño del látigo.

—¡Ah! —exclamó—. ¡Te reconozco bien! ¡a todos puedes engañar, menos a mí! ¡Te estoy viendo, hijo de tigres! ¡Bajo tu 20 camisa estoy viendo las rayas del tigre! ¡Fuera la camisa, y traigan los perros cazadores! ¡Veremos ahora si los perros te reconocen como hombre o como tigre!

En un segundo arrancaron toda la ropa a Juan Darién y lo arrojaron dentro de la jaula para fieras. 25

—¡Suelten los perros, pronto! —gritó el domador—. ¡Y encomiéndate a los dioses de tu selva, Juan Darién!

Y cuatro feroces perros cazadores de tigres fueron lanzados dentro de la jaula.

El domador hizo esto porque los perros reconocen siempre 30 el olor del tigre; y en cuanto olfatearan a Juan Darién sin ropa, lo harían pedazos, pues podrían ver con sus ojos de perros cazadores las rayas de tigre ocultas bajo la piel de hombre.

---

[16] *saber nada con*: to have anything to do with.   [17] *¡Muera Juan Darién!* Death to Juan Darién!

Pero los perros no vieron otra cosa en Juan Darién que al muchacho bueno que quería hasta a los mismos animales dañinos. Y movían apacibles la cola al olerlo.

—¡Devóralo! ¡Es un tigre! ¡Toca! ¡Toca! —gritaban a los
5 perros. Y los perros ladraban y saltaban enloquecidos por la jaula, sin saber a qué atacar.

La prueba no había dado resultado.

—¡Muy bien! —exclamó entonces el domador—. Estos son perros bastardos, de casta de tigre. No lo reconocen. Pero yo te
10 reconozco, Juan Darién, y ahora nos vamos a ver nosotros. [18]

Y así diciendo entró él en la jaula y levantó el látigo.

—¡Tigre! —gritó—. ¡Estás ante un hombre, y tú eres un tigre! ¡Allí estoy viendo, bajo tu piel robada de hombre, las rayas de tigre! ¡Muestra las rayas!
15 Y cruzó el cuerpo de Juan Darién de un feroz latigazo. La pobre criatura desnuda lanzó un alarido de dolor, mientras las gentes, enfurecidas, repetían:

—¡Muestra las rayas de tigre!

Durante un rato prosiguió el atroz suplicio; y no deseo que
20 los niños que me oyen vean martirizar de este modo a ser alguno. [19]

—¡Por favor! ¡Me muero! —clamaba Juan Darién.

—¡Muestra las rayas! —le respondían.

—¡No, no! ¡Yo soy hombre! ¡Ay, mamá! —sollozaba el infeliz.
25 —¡Muestra las rayas! —le respondían.

Por fin el suplicio concluyó. En el fondo de la jaula, arrinconado, aniquilado en un rincón, sólo quedaba su cuerpo sangriento de niño, que había sido Juan Darién. Vivía aún, y aún podía caminar cuando se le sacó de allí; pero lleno de tales sufrimientos
30 como nadie los sentirá nunca.

Lo sacaron de la jaula, y empujándolo por el medio de la calle, lo echaban del pueblo. Iba cayéndose a cada momento, y

---

[18] *nos... nosotros*: you and I are going to have it out.   [19] *no... alguno*: I don't want the children who are listening to me to see any creature tortured this way.

detrás de él los muchachos, las mujeres y los hombres maduros, empujándolo.

—¡Fuera de aquí, Juan Darién! ¡Vuélvete a la selva, hijo de tigre y corazón de tigre! ¡Fuera, Juan Darién!

Y los que estaban lejos y no podían pegarle, le tiraban piedras. 5 Juan Darién cayó del todo, [20] por fin, tendiendo en busca de apoyo sus pobres manos de niño. Y su cruel destino quiso que una mujer, que estaba parada a la puerta de su casa sosteniendo en los brazos a una inocente criatura, interpretara mal ese ademán de súplica. 10

—¡Me ha querido robar mi hijo! —gritó la mujer—. ¡Ha tendido las manos para matarlo! ¡Es un tigre! ¡Matémosle enseguida, antes que él mate a nuestros hijos!

Así dijo la mujer. Y de este modo se cumplía la profecía de la serpiente: Juan Darién moriría cuando una madre de los 15 hombres le exigiera la vida y el corazón de hombre que otra madre le había dado con su pecho. [21]

No era necesaria otra acusación para decidir a las gentes enfurecidas. Y veinte brazos con piedras en la mano se levantaban ya para aplastar a Juan Darién cuando el domador ordenó 20 desde atrás con voz ronca:

—¡Marquémoslo con rayas de fuego! ¡Quemémoslo en los fuegos artificiales!

Ya comenzaba a obscurecer, y cuando llegaron a la plaza era noche cerrada. En la plaza habían levantado un castillo de fuegos 25 de artificio, con ruedas, coronas y luces de bengala. Ataron en lo alto del centro a Juan Darién, y prendieron la mecha desde un extremo. El hilo de fuego corrió velozmente subiendo y bajando, y encendió el castillo entero. Y entre las estrellas fijas y las ruedas gigantes de todos colores, se vio allá arriba a Juan Darién sacri- 30 ficado.

—¡Es tu último día de hombre, Juan Darién! —clamaban todos—. ¡Muestra las rayas!

—¡Perdón, perdón! —gritaba la criatura, retorciéndose entre las chispas y las nubes de humo. Las ruedas amarillas, rojas y 35

---

[20] *cayó del todo*: fell down flat.   [21] *había... pecho*: had offered him at her breast.

verdes giraban vertiginosamente, unas a la derecha y otras a la izquierda. Los chorros de fuego tangente trazaban grandes circunferencias; y en el medio, quemado por los regueros de chispas que le cruzaban el cuerpo, se retorcía Juan Darién.

5 —¡Muestra las rayas! —rugían aún de abajo.

—¡No, perdón! ¡Yo soy hombre! —tuvo aún tiempo de llamar la infeliz criatura. Y tras un nuevo surco de fuego, se pudo ver que su cuerpo se sacudía convulsivamente; que sus gemidos adquirían un timbre profundo y ronco, y que su cuerpo cambiaba 10 poco a poco de forma. Y la muchedumbre, con un grito salvaje de triunfo, pudo ver surgir por fin, bajo la piel del hombre, las rayas negras, paralelas y fatales del tigre.

La atroz obra de crueldad se había cumplido; habían conseguido lo que querían. En vez de la criatura inocente de toda 15 culpa, allá arriba no había sino un cuerpo de tigre que agonizaba rugiendo.

Las luces de bengala se iban también apagando. Un último chorro de chispas con que moría una rueda alcanzó la soga atada a las muñecas (no: a las patas del tigre, pues Juan Darién había 20 concluido), y el cuerpo cayó pesadamente al suelo. Las gentes lo arrastraron hasta la linde del bosque, abandonándolo allí para que los chacales devoraran su cadáver y su corazón de fiera.

Pero el tigre no había muerto. Con la frescura nocturna volvió en sí, y arrastrándose presa de horribles tormentos se internó en 25 la selva. Durante un mes entero no abandonó su guarida en lo más tupido del bosque, esperando con sombría paciencia de fiera que sus heridas curaran. Todas cicatrizaron por fin, menos una, una profunda quemadura en el costado, que no cerraba, y que el tigre vendó con grandes hojas.

30 Porque había conservado de su forma recién perdida tres cosas: el recuerdo vivo del pasado, la habilidad de sus manos, que manejaba como un hombre, y el lenguaje. Pero en el resto, absolutamente en todo, era una fiera, que no se distinguía en lo más mínimo de los otros tigres.

Cuando se sintió por fin curado, pasó la voz [22] a los demás tigres de la selva para que esa misma noche se reunieran delante del gran cañaveral que lindaba con los cultivos. Y al entrar la noche se encaminó silenciosamente al pueblo. Trepó a un árbol de los alrededores y esperó largo tiempo inmóvil. Vio pasar bajo 5 él sin inquietarse a mirar siquiera, pobres mujeres y labradores fatigados, de aspecto miserable; hasta que al fin vio avanzar por el camino a un hombre de grandes botas y levita roja.

El tigre no movió una sola ramita al recogerse para saltar. Saltó sobre el domador; de una manotada lo derribó desmayado, 10 y cogiéndolo entre los dientes por la cintura, lo llevó sin hacerle daño hasta el juncal.

Allí, al pie de las inmensas cañas que se alzaban invisibles, estaban los tigres de la selva moviéndose en la obscuridad, y sus ojos brillaban como luces que van de un lado para otro. El hombre 15 proseguía desmayado. El tigre dijo entonces:

—Hermanos: Yo viví doce años entre los hombres, como un hombre mismo. Y yo soy un tigre. Tal vez pueda con mi proceder borrar más tarde esta mancha. Hermanos: esta noche rompo el último lazo que me liga al pasado. 20

Y después de hablar así, recogió en la boca al hombre, que proseguía desmayado, y trepó con él a lo más alto del cañaveral, donde lo dejó atado entre dos bambúes. Luego prendió fuego a las hojas secas del suelo, y pronto una llamarada crujiente ascendió.

Los tigres retrocedían espantados ante el fuego. Pero el tigre 25 les dijo: «¡Paz, hermanos!» Y aquéllos se apaciguaron, sentándose de vientre [23] con las patas cruzadas a mirar.

El juncal ardía como un inmenso castillo de artificio. Las cañas estallaban como bombas, y sus gases se cruzaban en agudas flechas de color. Las llamaradas ascendían en bruscas y sordas 30 bocanadas, dejando bajo ellas lívidos huecos; y en la cúspide, donde aún no llegaba el fuego, las cañas se balanceaban crispadas por el calor.

[22] *pasó la voz*: he spread the word.    [23] *sentándose de vientre*: lying on their stomachs.

Pero el hombre, tocado por las llamas, había vuelto en sí. Vio allá abajo a los tigres con los ojos cárdenos alzados a él, y lo comprendió todo.

—¡Perdón, perdónenme! —aulló retorciéndose—. ¡Pido perdón por todo!

Nadie contestó. El hombre se sintió entonces abandonado de Dios, y gritó con toda su alma:

—¡Perdón, Juan Darién!

Al oír esto, Juan Darién, alzó la cabeza y dijo fríamente:

—Aquí no hay nadie que se llame Juan Darién. No conozco a Juan Darién. Éste es un nombre de hombre y aquí somos todos tigres.

Y volviéndose a sus compañeros, como si no comprendiera, preguntó:

—¿Alguno de ustedes se llama Juan Darién?

Pero ya las llamas habían abrasado el castillo hasta el cielo. Y entre las agudas luces de bengala que entrecruzaban la pared ardiente, se pudo ver allá arriba un cuerpo negro que se quemaba humeando.

—Ya estoy pronto, hermanos —dijo el tigre—. Pero aún me queda algo por hacer.

Y se encaminó de nuevo al pueblo, seguido por los tigres sin que él lo notara. Se detuvo ante un pobre y triste jardín, saltó la pared, y pasando al costado de muchas cruces y lápidas, fue a detenerse ante un pedazo de tierra sin ningún adorno, donde estaba enterrada la mujer a quien había llamado madre ocho años. Se arrodilló —se arrodilló como un hombre—, y durante un rato no se oyó nada.

—¡Madre! —murmuró por fin el tigre con profunda ternura—. Tú sola supiste, entre todos los hombres, los sagrados derechos a la vida de todos los seres del Universo. Tú sola comprendiste que el hombre y el tigre se diferencian únicamente por el corazón. Y tú me enseñaste a amar, a comprender, a perdonar. ¡Madre! Estoy seguro de que me oyes. Soy tu hijo siempre, a pesar de lo que pase en adelante, pero de ti sólo. ¡Adiós, madre mía!

Y viendo al incorporarse los ojos cárdenos de sus hermanos que lo observaban tras la tapia, se unió otra vez a ellos. El viento cálido les trajo en ese momento, desde el fondo de la noche, el estampido de un tiro.

—Es en la selva —dijo el tigre—. Son los hombres. Están 5 cazando, matando, degollando.

Volviéndose entonces hacia el pueblo que iluminaba el reflejo de la selva encendida, exclamó:

—¡Raza sin redención! ¡Ahora me toca a mí!

Y retornando a la tumba en que acababa de orar, arrancóse 10 de un manotón [24] la venda de la herida y escribió en la cruz con su propia sangre, en grandes caracteres, debajo del nombre de su madre:

Y

JUAN DARIÉN 15

—Ya estamos en paz —dijo. Y enviando con sus hermanos un rugido de desafío al pueblo aterrado, concluyó:

—Ahora, a la selva. ¡Y tigre para siempre!

# Exercises

## A. Cuestionario

1. ¿Quién era Juán Darién?
2. ¿Qué representaba el cachorro para la madre que lo crió?
3. ¿Por qué quería entrar un hombre a la casa de la mujer?
4. ¿Qué mandó la vieja serpiente que la madre hiciera con el tigrecito?
5. ¿Qué condición puso la serpiente en su profecía?

[24] *de un manotón*: with one swipe of his paw (hand).

6. ¿Por qué no .uvo la madre interés en volver a casarse?
7. ¿Cómo era Juan Darién?
8. ¿Por qué no se le amaba a Juan en el pueblo?
9. ¿Qué sospechaba el inspector?
10. ¿Qué esperaba descubrir con la sugestión hipnótica?
11. ¿En qué se diferenciaba la descripción de la selva que hizo Juan de las de los otros alumnos?
12. ¿Por qué era necesario matar a Juan Darién?
13. ¿Por qué hizo llamar el inspector al domador de fieras?
14. ¿Qué esperaba el domador que los perros hicieran con Juan?
15. ¿Cómo se cumplió la profecía de la serpiente?
16. ¿Qué le hicieron a Juan para que mostrara sus rayas?
17. ¿Cómo se escapó Juan después de ser quemado en medio de los fuegos artificiales?
18. ¿Cómo se vengó Juan del domador?
19. ¿Qué cosa era lo que únicamente la madre de Juan había comprendido?
20. ¿Con quiénes se marchó Juan al final del cuento?

**B. Key Expressions**

Find the place in the story where these expressions occur and learn their meaning, checking the vocabulary again, if necessary.

1. asistir a (55:2)
2. corrientemente (55:4)
3. se debe a (55:4)
4. a principios de (55:7)
5. ahora bien (56:8)
6. de contento (56:15)
7. dormirse (56:22)
8. detenerse (57:7)
9. a menos que (57:20)
10. apresurarse (57:23)
11. por todas partes (57:29)
12. poner un nombre (57:36)
13. volver a + infinitive (58:2)
14. bastar (58:3)
15. burlarse de (58:13)
16. a menudo (58:13)
17. cumplir... años (58:16)
18. en adelante (58:18)
19. dar razón a (58:24)
20. criarse (59:18)
21. tocarle a uno (59:29)
22. demorar cn (60:4)
23. figurarse (60:6)
24. por ejemplo (60:7)
25. moverse (60:27)
26. reírse de (60:35)
27. tarde o temprano (61:8)
28. puesto que (61:11)
29. hay que + infinitive (61: 15)
30. darse cuenta de (61:21)
31. ni siquiera (61:23)
32. en cuanto (62:31)

33. del todo (64:6)
34. de este modo (64:14)
35. ir + *gerund* (65:17)
36. volver en sí (65:23)
37. pasar la voz (66:1)

38. volverse (67:13)
39. quedar algo por hacer (67: 21)
40. encaminarse a (67:22)
41. incorporarse (68:1)

## C. Verb Exercise

Using the verbs in the right-hand column, give the Spanish for the English sentences on the left.

1. *a)* The two brothers had grown up in the jungle.    *criarse*
   *b)* I grew up in a small town in the south.

2. *a)* What a shame she never attended school.    *asistir a*
   *b)* Diego said he wouldn't go to college even if he could.

3. *a)* I hope you don't fall asleep in this class again.    *dormirse*
   *b)* Sometimes she would drop off to sleep before siesta time.

4. *a)* Rita stopped and looked at us in a strange way.    *detenerse*
   *b)* They would stop if there was water there.

5. *a)* Hurry up, we're going to be late!    *apresurarse*
   *b)* They hastened to explain the reason for the mistake.

6. *a)* I don't think the money you have is enough.    *bastar*
   *b)* That's enough, I don't want to hear any more.

7. *a)* O K., it's your turn now.    *tocarle a uno*
   *b)* It was up to me to inform the police.

8. *a)* Why are you taking so long to finish it?    *demorar en*
   *b)* He delayed a long time in answering the letter.

9. *a)* You have to proceed with care.     *haber que*
    *b)* One had to respect her desire to save
       him.
10. *a)* If I were you, I wouldn't move.     *moverse*
    *b)* Don't move, I'll be right back.

## D. Drill on New Expressions

From the expressions on the right, select the one corresponding
to the italicized English words on the left and rewrite the entire
sentence in Spanish.

1. *From now on,* we'll be able to see each
    other more.

2. They'll come tomorrow *unless* it's raining.

3. He did all his work *in the customary man-
    ner.*

4. We *often* used to go to the park in the
    afternoon.

5. Let's take, *for example,* the case of Juan
    Darién.

6. That *is due to the fact* that the others
    haven't paid yet.

7. *Sooner or later,* you'll have to finish the
    lesson.

8. When she saw her son, the mother wept
    *with joy.*

9. *Well now,* as I told you, we had to start
    late.

10. They looked *everywhere,* but didn't find it.

corrientemente
se debe a
ahora bien
de contento
a menos que
por todas partes
a menudo
en adelante
por ejemplo
tarde o temprano

## E. Review Exercise

The following verbal expressions which figured in earlier stories
reappeared in «Juan Darién.» To check your mastery of them,
compose a question involving each verb; then answer the question.
(Vary the tense of each for practice.)

sentirse       pensar en       hacer (+ *infinitive*)
cerrar el paso     detenerse

Ricardo Palma

# EL ALACRÁN
# DE FRAY GÓMEZ

# The "Tradición" of Ricardo Palma

*The Peruvian writer* RICARDO PALMA *(1833-1919) is one of the most colorful figures in all Spanish-American literature. He was born in Lima, and it was there that he died in 1919, leaving behind him a great body of writings about Peru and the Incan civilization which had existed in that region before the arrival of the Spanish* conquistadores. *Palma's chief contribution lies in his* Tradiciones peruanas, *which he published in ten volumes between 1872 and 1910. These bright and lively* tradiciones *sparkle with the sharp wit and roguish flair for story-telling that characterize his best pages.*

*The* tradición *was a fresh literary genre created by Palma. It usually took the form of a historical anecdote in which the author artfully combined fact and fancy in recounting the glories and intrigues of colonial Lima when it was the home of the most elegant society in the New World. Palma has not only recreated much of Peru's colonial history in his tales, but has also captured the flavor of those early days.* «El alacrán de fray Gómez,» *a charming* «miracle» *story, is one of the best-known of Palma's* Tradiciones peruanas.

# El alacrán de fray Gómez

Cuando yo era muchacho, oía con frecuencia a las viejas exclamar, ponderando el mérito y precio de una alhaja: «¡Esto vale tanto como el alacrán de fray Gómez!» Y explicar este dicho de las viejas es lo que me propongo con esta tradición.

5 Fray Gómez era un lego contemporáneo de don Juan de la Pipirindica, el de la valiente pica, y de San Francisco Solano, que desempeñaba en Lima, en el convento de los padres seráficos, las funciones de refitolero en la enfermería u hospital de los devotos frailes. Fray Gómez hizo en mi tierra milagros a mantas, [1] sin 10 darse cuenta de ellos y como quien no quiere la cosa. [2] Era de suyo milagrero, [3] como aquél que hablaba en prosa sin sospecharlo.

Sucedió que un día iba el lego por el puente, cuando un caballo desbocado arrojó sobre las losas al jinete. El infeliz quedó

---

[1] *a mantas*: by the dozen.  [2] *como... cosa*: like someone who isn't even trying.  [3] *Era de suyo milagrero*: He was a natural-born miracle-maker.

patitieso, con la cabeza hecha una criba [4] y arrojando sangre por boca y narices.

—¡Se descalabró, se descalabró! —gritaba la gente—. ¡Que vayan [5] a San Lorenzo por el santo óleo!

Y todo era bullicio y alharaca.

Fray Gómez se acercó pausadamente al que yacía en tierra, le puso sobre la boca el cordón de su hábito, le echó tres bendiciones, [6] y sin más médico ni más botica el descalabrado se levantó tan fresco, como si no hubiera recibido golpe.

—¡Milagro, milagro! ¡Viva fray Gómez! [7] —exclamaron los infinitos espectadores.

Y en su entusiasmo intentaron llevar en triunfo al lego. Éste, para substraerse de la popular ovación, echó a correr camino de su convento y se encerró en su celda.

La crónica franciscana cuenta esto último de manera distinta. Dice que fray Gómez, para escapar de sus aplaudidores, se elevó en los aires y voló desde el puente hasta la torre de su convento. Yo ni lo niego ni lo afirmo. Puede que sí y puede que no. [8] Tratándose de maravillas, [9] no gasto tinta en defenderlas ni en refutarlas.

Aquel día estaba fray Gómez en vena de hacer milagros, [10] pues cuando salió de su celda se encaminó a la enfermería, donde encontró a San Francisco Solano acostado sobre una cama, víctima de una furiosa jaqueca. El lego lo pulsó y le dijo:

—Su paternidad está muy débil, y haría bien en tomar algún alimento. [11]

—Hermano —contestó el santo—, no tengo apetito.

—Haga un esfuerzo, reverendo padre, y pase siquiera un bocado. [12]

---

[4] *hecha una criba*: battered.    [5] *¡Que vayan*: Somebody go.    [6] *le echó tres bendiciones*: he blessed him three times.    [7] *¡Viva fray Gómez!* long live brother Gómez!    [8] *Puede... no*: Maybe he did, and maybe he didn't.    [9] *Tratándose de maravillas*: When it's a question of miracles.    [10] *en vena de hacer milagros*: in the mood for working miracles.    [11] *haría... alimento*: you would do well to eat some food.    [12] *pase siquiera un bocado*: try a little something.

Y tanto insistió el refitolero, que el enfermo, por librarse de exigencias que picaban ya en majadería, [13] ideó pedirle lo que hasta para el virrey habría sido imposible conseguir, por no ser la estación propicia para satisfacer el antojo. [14]

5 —Pues mire, hermanito, sólo comería con gusto un par de pejerreyes.

Fray Gómez metió la mano derecha dentro de la manga izquierda, y sacó un par de pejerreyes tan fresquitos que parecían acabados de salir del mar. [15]

10 —Aquí los tiene su paternidad, y que en salud se le conviertan. [16] Voy a guisarlos.

Y con los benditos pejerreyes quedó San Francisco curado como por ensalmo. [17]

Estaba otra mañana fray Gómez en su celda entregado a la 15 meditación, [18] cuando dieron a la puerta unos discretos golpecitos, y una voz de quejumbroso timbre dijo:

—*Deo gratias.* [19] ¡Alabado sea el Señor! [20]

—Por siempre jamás, [21] amén. Entre, hermanito —contestó fray Gómez.

20 Y penetró en la humildísima celda un individuo algo desarrapado, y pobre, pero en cuyo rostro se dejaba adivinar la proverbial honradez del castellano viejo.

Todo el mobiliario de la celda se componía de cuatro sillones de vaqueta, una mesa mugrienta, y una tarima sin colchón, sábanas 25 ni abrigo, y con una piedra por cabezal o almohada.

—Tome asiento, hermano, y dígame sin rodeos lo que por acá le trae —dijo fray Gómez.

—Es el caso, padre, que soy hombre de bien a carta cabal. [22]

---

[13] *que picaban ya en majadería*: which were already bordering on nonsense. [14] *por... antojo*: because the season wasn't right to be able to satisfy his whim. [15] *que... mar*: that they looked as though they had just been pulled out of the sea. [16] *y... conviertan*: and may they bring you back to good health. [17] *quedó... ensalmo*: St. Francis was cured as if by magic. [18] *entregado a la meditación*: lost in meditation. [19] *Deo gratias*: Thanks be to God (Latin). [20] *¡Alabado sea el Señor!* Praise the Lord! [21] *Por siempre jamás*: Forever and ever. [22] *Es... cabal*: The fact is, father, that I am an honest man through and through.

—Se le conoce [23] y deseo que persevere, que así merecerá en esta vida terrena la paz de conciencia, y en la otra la bienaventuranza.

—Y es el caso que soy buhonero, que vivo cargado de familia [24] y que mi comercio no cunde por falta de medios, que no por holgazanería y escasez de industria en mí.

—Me alegro, hermano, que a quien honradamente trabaja, Dios le acude. [25]

—Pero es el caso, padre, que hasta ahora Dios se me hace el sordo, [26] y en acorrerme tarda.

—No desespere, hermano, no desespere.

—Pues es el caso, que a muchas puertas he llegado en demanda de habilitación por quinientos duros, [27] y todas las he encontrado con cerrojo y cerrojillo. [28] Y es el caso que anoche en mis cavilaciones, yo mismo me dije a mí mismo: —¡Ea!, Jeromo, buen ánimo [29] y vete a pedirle el dinero a fray Gómez, que si él lo quiere, mendicante y pobre como es, medio encontrará para sacarte del apuro. Y es el caso que aquí estoy porque he venido, y a su paternidad le pido y ruego que me preste esa puchuela por seis meses.

—¿Cómo ha podido imaginarse, hijo, que en esta triste celda encontraría ese caudal?

—Es el caso, padre, que no acertaría a responderle; [30] pero tengo fe en que no me dejará ir desconsolado.

—La fe lo salvará, hermano. Espere un momento.

Y paseando los ojos por las desnudas y blanqueadas paredes de la celda, vio un alacrán que caminaba tranquilamente sobre el marco de la ventana. Fray Gómez arrancó una página de un libro viejo, se dirigió a la ventana, cogió con delicadeza a la sabandija, la envolvió en el papel y tornándose hacia el castellano viejo le dijo:

---

[23] *Se le conoce*: That is apparent.    [24] *vivo cargado de familia*: I'm burdened with a family.    [25] *Me... acude*: I'm happy, brother, for God takes care of those who work honestly.    [26] *Dios... sordo*: God has turned a deaf ear on me.    [27] *en... duros*: asking for 500 duros worth of backing.    [28] *con cerrojo y cerrojillo*: locked up tight.    [29] *buen ánimo*: cheer up.    [30] *no acertaría a responderle*: I couldn't answer that.

—Tome, buen hombre, y empeñe esta alhajita; no olvide sí, devolvérmela dentro de seis meses.

El buhonero se deshizo en frases de agradecimiento,[31] se despidió de fray Gómez y más que de prisa[32] se encaminó a la tienda
5 de un usurero.

La joya era espléndida, verdadera alhaja de reina morisca, por decir lo menos. Era un prendedor figurando un alacrán.[33]

Una magnífica esmeralda engarzada sobre oro formaba el cuerpo, y un grueso brillante con dos rubíes por ojos formaba la
10 cabeza.

El usurero, que era hombre conocedor, vio la alhaja con codicia, y ofreció al necesitado adelantarle dos mil duros por ella; pero nuestro español se empeñó en no aceptar otro préstamo que el de quinientos duros por seis meses, y con un interés excesivo,
15 se entiende.[34] Se extendieron y se firmaron los documentos o papeletas de estilo, acariciando el agiotista la esperanza de que a la postre el dueño de la prenda acudiría por más dinero, que con el recargo de intereses lo convertiría en propietario[35] de joya tan valiosa por su mérito intrínseco y artístico.

20 Pero con este capitalito[36] le fue tan prósperamente en su comercio, que a la terminación del plazo pudo desempeñar la prenda, y, envuelta en el mismo papel que la había recibido, se la devolvió a fray Gómez.

Éste tomó el alacrán, lo puso sobre el alféizar de la ventana,
25 le echó una bendición y dijo:

—Animalito de Dios, sigue tu camino.

Y el alacrán echó a andar libremente por las paredes de la celda.

---

[31] se... agradecimiento:    was overwhelmed with gratitude.   [32] más que de prisa: with great haste.   [33] Era... alacrán: It was a brooch in the shape of a scorpion.   [34] se entiende: of course.   [35] que... propietario: that, in the end, the owner of the article would come back for more money, which, with the added interest charges, would turn him (the moneylender) into the owner.   [36] capitalito: little bit of capital.

# Exercises

## A. Cuestionario

1. ¿Dónde desempeñaba fray Gómez las funciones de refitolero?
2. ¿Cómo lo curó fray Gómez al caballero descalabrado?
3. Qué milagro hizo fray Gómez en presencia de San Francisco Solano?
4. ¿Quién entró una mañana en la humilde celda del padre?
5. ¿Qué favor le pidió a fray Gómez?
6. ¿Qué cogió fray Gómez de la pared de su celda?
7. ¿En qué se convirtió el animalito?
8. ¿Se dio cuenta el usurero del valor de la alhaja?
9. ¿Cuánto le dio el usurero al buhonero por la joya?
10. ¿Qué hizo fray Gómez con el alacrán cuando el buhonero se lo devolvió?

## B. Key Expressions

Find the place in the story where these expressions occur and learn their meaning, checking the vocabulary, if necessary.

1. con frecuencia (75:1)
2. darse cuenta de (75:10)
3. suceder (75:12)
4. ¡Viva...! (76:10)
5. echar a + *infinitive* (76:13)
6. camino de (76:13)
7. encerrarse (76:14)
8. puede que sí (no) (76:18)
9. tratarse de (76:18)
10. estar en vena de (76:21)
11. hacer bien en + *infinitive* (76:25)
12. un par de (77:5)
13. componerse de (77:23)
14. tomar asiento (77:26)
15. por falta de (78:5)
16. alegrarse (78:7)
17. hacérsele el sordo a uno (78:9)
18. imaginarse (78:21)
19. dentro de (79:2)
20. por decir lo menos (79:6)
21. empeñarse en (79:13)
22. se entiende (79:15)
23. de estilo (79:16)

## C. Verb Exercise

Using the expressions in the right-hand column, give the Spanish for the English sentences on the left.

1. *a)* It turned out that he wasn't her brother.   *suceder*
   *b)* It happens that we don't have any money.

2. *a)* You'd do well not to work so much.   *hacer bien en*
   *b)* I think he did well in not saying anything.

3. *a)* They will start complaining right away.   *echar a*
   *b)* The old fellow began talking about strange things.

4. *a)* This book is made up of four sections.   *componerse de*
   *b)* The class was made up of ten boys and fifteen girls.

5. *a)* Please be seated.   *tomar asiento*
   *b)* He always sat at the back of the class.

6. *a)* The moneylender turned a deaf ear on them.   *hacerse el sordo*
   *b)* You wouldn't turn a deaf ear on her, would you?

7. *a)* I imagine you're very tired now.   *imaginarse*
   *b)* Imagine that you're no longer poor.

8. *a)* I didn't realize then what she was saying.   *darse cuenta de*
   *b)* You'll realize later what you have done.

9. *a)* It's not a matter here of honor.   *tratarse de*
   *b)* It wasn't a question of money.

10. *a)* He'd lock himself up in his cell for days.   *encerrarse*
    *b)* Why did you lock yourself up in your room this afternoon?

## D. Drill on New Expressions

From the expressions on the right, select the one corresponding to the italicized English words on the left and rewrite the entire sentence in Spanish.

1. I'll have to finish it *within* a few days.
2. We had to present the *usual* papers.
3. You are very lucky, *to say the least*.
4. We *often* used to go shopping with them.
5. *It's understood* that she's not to be present.
6. I'd like to go to the bookstore to look for *a couple of* books.
7. The boy went running off *in the direction of* his house.
8. *Long live* the king!
9. We didn't take the trip *because of a lack of* time.
10. We're not going *to be in the mood for* studying tonight.

con frecuencia
viva
camino de
estar en vena de
un par de
por falta de
dentro de
se entiende
de estilo
por decir lo menos

Alfonso Ferrari Amores

# EL PAPEL DE PLATA

# Alfonso Ferrari Amores – Composer, Journalist, and Writer of Detective Stories

ALFONSO FERRARI AMORES *(1903-    ) was born in Buenos Aires, and it has been there that he has pursued his subsequent literary career. He is a journalist by profession and a fiction writer during «outside» hours. His short stories have ʾappeared in the leading Argentine newspapers and magazines, and his novel* Gaucho al timón *(1948) received a literary prize. Also honored by a similar award was his radio script «Mástiles quebrados.» In addition, he has had several original dramas produced in the Argentine capital. To round out this varied background, we might add that Ferrari has written a number of tangos which have enjoyed great popularity in his country and abroad.*

*Ferrari is widely known as a mystery story writer—an author of «whodunits.» Under pseudonyms, as well as under his own name, he has published over a dozen detective novels with scenes laid outside Argentina. His detective short stories, which he signs himself, are clever tales usually set against a typically Argentine backdrop. His best work in the field of crime fiction has been done in the shorter form — as you may well judge from this ingenious story—«El papel de plata.»*

84

# El papel de plata

Joaco Migueles, aquel borracho filósofo que fue uno de mis amigos más divertidos, vino de la calle trayendo en la mano un papel plateado, de los que se usan como envoltura de chocolatines y cigarrillos. Antes de saludarme fue hasta una caja y lo echó en
5 ella. Explicó:

—Calafate para el techo. Mira. —Señaló una línea de hoyuelos en el piso de tierra—. Una gotera. Esta tarde salí a pesar mío [1] —gruñó, rasgándose la nuca. —El solazo me mata. Yo no hubiera querido salir, pero necesitaba vino, y no tuve más remedio
10 que salir. [2] Sin embargo, ya ves, encontré el papel plateado, que es lo mejor que hay para tapar las goteras. Ahí tienes una lección optimista que nos da el azar. No hay mal que por bien no venga, [3] como dice el refrán.

[1] *a pesar mío*: against my wishes.   [2] *no... salir*: I had no choice but to go out.   [3] *No... venga*: «Every cloud has a silver lining.»

En esto se le volvió la sed y llenó de nuevo el vaso que tenía en frente. Los vasos en que echó Joaco el vino eran como floreros; poco faltaba para que alguno contuviese [4] tanto como la propia botella.

—Tú sabes que yo anduve por la Patagonia cuando era mozo. [5] Fue una experiencia brava; y de no haberla sufrido, [5] sin embargo, no hubiera conocido la felicidad.

Me di cuenta en ese momento de que Joaco Migueles iba a contarme otra de sus memorables historias. A él no le gustaba sino charlar filosóficamente sobre lo que había sacado en limpio [6] de sus experiencias en este mundo. Me acomodé lo mejor posible en mi silla y me puse a escuchar el relato que sirvió para distraerme del mucho calor que hacía.

Acariciando su vaso, Joaco fijó vagamente su mirada en el techo, y me narró la historia que sigue y que he llevado al papel sin cambiar una letra.

—En un rincón de mi memoria donde nunca he barrido para no tener que avergonzarme con lo que saldría a... (iba a decir a relucir, pero no es la miseria cosa que reluzca), [7] hay un tanque de cemento. Un depósito de agua que quedó convertido por mí en dormitorio. Fue en Río Negro; [8] justamente, en El Ñireco. Tan despilchado andaba en aquel tiempo, que ni ganas de remendarme tenía, porque hubiera sido lo mismo que calafatear un barco hundido. En ese entonces muchos otros muchachos hicieron plata [9] con los caminos, trabajando de sol a sol [10] en las cuadrillas de Vialidad. Yo no tengo pasta para andar entablado, [11] tú sabes, como animal de tropilla. Seguí pobre, pero no por mucho tiempo. De repente, me acomodé. Eso dio que hablar a muchos. [12] Todo el mundo opinó. Que esto, que lo otro, que lo de más allá. [13] Yo voy

---

[4] *poco... contuviese*: one of them was almost big enough to hold.
[5] *de... sufrido*: if I hadn't gone through it.  [6] *sacado en limpio*: gathered.  [7] *no... reluzca*: misery isn't something that glitters.  [8] *Río Negro*: A province in southern Argentina, just north of Patagonia.
[9] *plata*: money, «dough.»  [10] *de sol a sol*: from sunup to sundown.
[11] *Yo... entablado*: I'm not made to be herded around.  [12] *dio que hablar a muchos*: gave many people occasion for comment.  [13] *Que... allá*: This, that, and the other thing.

a referirme al caso, ya que también lo conozco, y después tú sacarás la conclusión que mejor te parezca. Lo que dije del tanque al principio viene a que por él te explicarás fácilmente [14] que no podía yo negarme a disfrutar, cuando empezaron las nieves en
5 Viedma, [15] de una cama en la trastienda de una herboristería, en la que me ofrecieron empleo como vendedor. Entre seguir en el tanque de cemento en El Ñireco y ganarme el pan [16] en Viedma, ¿quién iba a titubear? Así, quedé como único ocupante del boliche, y una tarde llegó allí a visitarme, justamente, don Hellmuth. Char-
10 lamos de mil cosas, y en cierto momento le dije que si era verdad que la diabetes consiste en un exceso de glucosa, a mí me parecía que la ingestión de hongos venenosos, que matan por privar a la sangre de aquella substancia, podría ensayarse, en ciertas dosis, para curar a los diabéticos. Era una simple cuestión de lógica.
15 Entonces don Hellmuth me preguntó:

—¿Usted tiene hongos venenosos?

Por toda respuesta saqué [17] dos bolsitas del hueco del mostrador y se los mostré.

—Éstos son los buenos, y éstos son los malos. ¿No parecen
20 idénticos? Don Hellmuth asintió, maravillado.

—Calcule usted —continué—. Si uno los sirve por separado, en dos platos, nadie podría diferenciar los venenosos de los otros. Claro que sería conveniente disponer de un antídoto, por si acaso. [18]

—¿Cuál?— preguntó don Hellmuth, que se mostró en se-
25 guida muy interesado.

—La misma glucosa. Una solución muy concentrada, claro. Puede beberse o inyectarse.

—Déme hongos de las dos clases —dijo él—. Y el contraveneno.

30 Mientras le cobraba los hongos y el frasco, le dije:

---

[14] *viene... fácilmente*: was said so that you can easily understand.
[15] *Viedma*: Coastal city of Río Negro province.    [16] *ganarme el pan*: earning a living.    [17] *Por toda respuesta saqué*: My only reply was to take out.    [18] *por si acaso*: just in case.

—Claro que si ha de estar al alcance de un enemigo que haya comido los hongos venenosos, convendría disfrazar el antídoto, para que no lo tome.

—¿Y cómo? —preguntó don Hellmuth.

Yo tomé de un cajón una etiqueta donde se veía una calavera 5 en rojo, y debajo de ella la palabra «Veneno», y la pegué en el frasco.

—Ya está —le dije—. Ahora únicamente nosotros dos sabemos que esto no es lo que dice la etiqueta. Trate de no olvidarse de este detalle. 10

Casualmente aquella misma noche vino a refugiarse en mi botica la mujer de don Hellmuth, una criollita joven y linda a quien el gringo [19] acostumbraba moler a palos, [20] y eso después de haberse casado con ella, o tal vez de rabia por haberlo hecho; y me contó que después de haber comido juntos un guiso con 15 hongos, la había echado de su casa corriéndola con un látigo. Don Hellmuth, que era hombre tan rico como avaro, solía tener arrebatos, pero nunca como esa vez, y la muchacha lloraba como una Magdalena. (¡Y tanto que escaseaban por allá las mujeres! [21]) Yo hice girar la manivela del teléfono, me comuniqué con don 20 Hellmuth y le grité, asustado:

—¡Oiga! ¡Equivoqué las etiquetas de los hongos! Los comestibles son los venenosos, y los...

Dicen que lo encontraron al otro día envenenado con cianuro de potasio. El forense analizó el contenido del frasco que había 25 vaciado de un trago don Hellmuth, y declaró:

—Veneno, tal como lo indica la etiqueta. Sin duda, don Hellmuth se suicidó.

No faltaron después quienes me miraron de reojo porque me casé con la viuda. Claro que la criollita era un bombón. Fue mi 30 papel de plata, como el que hoy encontré para remediarme. Pero, ¿asunto a qué murmuraban? [22] De envidiosos, no más. [23] En todo

---

[19] *gringo*: In some Latin American countries *gringo* refers to an American, but in others, like Argentina, it refers to any foreigner. [20] *acostumbraba moler a palos*: used to beat regularly. [21] *¡Y... mujeres!* And women were so scarce there, too! [22] *¿asunto a qué murmuraban?* was that anything for them to gossip about? [23] *De envidiosos, no más*: They were jealous, that's all.

ven el dinero. ¿Por qué no se les ocurre pensar que un hombre, por más pobre que sea, puede ser desinteresado? A don Hellmuth le hicieron la autopsia; con ese motivo ²⁴ se comprobó, de paso, que los hongos eran inofensivos. ¡Qué iba a vender yo hongos vene-
5 nosos! ²⁵

# Exercises

## A. Cuestionario

1. ¿Qué había encontrado Joaco Migueles para impermeabilizar el techo?
2. ¿A qué refrán se refirió Joaco?
3. ¿Sobre qué cosas le gustaba a Joaco charlar?
4. ¿Por qué no trabajaba Joaco en los caminos de Río Negro con los otros muchachos?
5. ¿Qué trabajo le ofrecieron a Joaco en Viedma?
6. ¿Quién llegó un día a la tienda a visitarlo a Joaco?
7. ¿Qué dijo Joaco acerca de los hongos venenosos?
8. ¿Qué acabó por comprar don Hellmuth?
9. ¿Quién vino a refugiarse en la tienda aquella misma noche?
10. ¿Cómo murió don Hellmuth?

## B. Key Expressions

Find the place in the story where these expressions occur and learn their meaning, checking the vocabulary again, if necessary.

1. a pesar mío (85:7)
2. no tener más remedio que
   + *infinitive* (85:9)
3. de nuevo (86:1)
4. en frente (86:2)
5. sacar en limpio (86:10)

²⁴ *con ese motivo*: in this way. ²⁵ *¡Qué... venenosos!* What would I be doing selling poisonous mushrooms!

6. acomodarse (86:11)
7. de sol a sol (86:25)
8. de repente (86:27)
9. dar que hablar (86:28)
10. más allá (86:29)
11. negarse a + *infinitive* (87:4)
12. ganarse el pan (87:7)
13. por separado (87:21)
14. conveniente (87:23)
15. por si acaso (87:23)
16. mostrarse (87:24)
17. en seguida (87:24)
18. convenir (88:2)
19. olvidarse de (88:9)
20. casualmente (88:11)
21. acostumbrar (88:13)
22. casarse con (88:14)
23. soler + *infinitive* (88:17)
24. comunicarse con (88:20)
25. tal como (88:27)
26. suicidarse (88:28)
27. mirarse reojo (88:29)
28. ocurrírsele a uno (89:1)
29. de paso (89:3)

## C. Verb Exercise

Using the expressions in the right-hand column, give the Spanish for the English sentences on the left.

1. *a)* What did you gather from his experiences? — *sacar en limpio*
   *b)* I don't know if I'll gather much from the conversation.
2. *a)* He settled himself in the chair and began to speak. — *acomodarse*
   *b)* The cat always settles down in this corner.
3. *a)* He appeared very nervous. — *mostrarse*
   *b)* Don't look so sad!
4. *a)* He earned his living working in a store. — *ganarse el pan*
   *b)* How will they earn a living?
5. *a)* Does this room suit you? — *convenir*
   *b)* Would it be suitable to speak of money?
6. *a)* María has forgotten the tickets. — *olvidarse de*
   *b)* I shall never forget you.
7. *a)* We would usually get up early. — *soler*
   *b)* Are you accustomed to having wine with your meals?
8. *a)* Why doesn't he get in touch with me? — *comunicarse con*
   *b)* Felipe got in touch with her father.

9. *a)* The officer killed himself after the     *suicidarse*
    battle.

    *b)* If you don't want to see me any more,
      I'll kill myself.

10. *a)* Whom is she going to marry?         *casarse con*
    *b)* He married the sister of a friend.

## D. Drill on New Expressions

From the expressions on the right, select the one corresponding to the italicized English words on the left and rewrite the entire sentence in Spanish.

1. *Suddenly,* a terrible shout was heard.
2. Yesterday we found out, *by the way,* that the job would take a long time.
3. I'm sending you *separately* the book you asked for.
4. I accepted his offer *against my wishes.*
5. I advise you to bring more money, *just in case.*
6. Juanito, come here *immediately!*
7. The hotel is wonderful, *just as* they said.
8. Do you know why that old lady began *looking at me suspiciously?*
9. His actions are going to *give cause for comment.*
10. From time to time, she would look at the clock *in front of her.*

a pesar mío
enfrente
dar que hablar
de repente
por separado
de paso
por si acaso
en seguida
mirar(me) de reojo
tal como

## E. Review Exercise

The following verbal expressions which figured in earlier stories reappeared in «El papel de plata.» To check your mastery of them, compose a question involving each verb; then answer the question.

| | | | |
|---|---|---|---|
| faltar | ponerse a | referirse | refugiarse |
| darse cuenta de | tener ganas de | disfrutar de | ocurrirse |

Roberto Arlt

# LA LUNA ROJA

# Roberto Arlt and the End of the World

ROBERTO ARLT *(1900-1942) was an Argentine writer who became known through his principal works*—Los siete locos *(1929)* and Los lanzallamas *(1931)*—*as a man embittered with society and, especially, with its supreme manifestation, the metropolis. He has been called «the novelist of frustrated middle-class hopes of the 1930's in Buenos Aires.» There is a cynicism in his work that is deep and fundamental to his vision of the world. Elevating his prose from the realm of the morbid, however, was the author's lyric imagination, which lent relief to his fiction by making his characters and scenes something more, or less, than real.*

*These characteristics of Arlt can be perceived in the fatalistic story which is included here—«La luna roja.» A strong sense of inevitability pervades this story of the end of our world. It shuts out all hope and rejects in its inexorable movement to the climax the «second chance» that mankind might want to plead for. The scene is, fittingly enough, the city; the tone, one of strange poetic terror.*

94

# La luna roja

Nada lo anunciaba por la tarde.

Las actividades comerciales se desenvolvieron normalmente en la ciudad. Olas humanas hormigueaban en los pórticos de los vastos establecimientos comerciales, o se detenían frente a los escaparates que ocupaban todo el largo de las calles oscuras, salpicados de olores a telas nuevas, flores y otros artículos.

Los cajeros, detrás de sus casillas encristaladas, y los jefes de personal rígidos en los salones de venta, vigilaban con ojo astuto la conducta de sus inferiores.

Se firmaron contratos y se cancelaron préstamos.

En distintas partes de la ciudad, a horas diferentes, numerosas parejas de jóvenes y muchachas se juraron amor eterno, olvidando que sus cuerpos eran mortales; algunos vehículos inutilizaron a descuidados paseantes, y el cielo, más allá de las altas cruces metálicas pintadas de verde, que soportaban los cables de alta tensión, se teñía de un gris ceniciento, como siempre ocurre cuando el aire está cargado de vapores húmedos.

Nada lo anunciaba.

Por la noche fueron iluminados los rascacielos.

La majestuosidad de sus fachadas fosforescentes, recortadas a tres dimensiones sobre el fondo de oscuridad, intimidó a los hombres sencillos. Muchos se formaban una idea exagerada respecto a los posibles tesoros protegidos por muros de acero y cemento. Fuertes vigilantes de acuerdo a [1] la orden recibida, al pasar frente a estos edificios, observaban cuidadosamente las puertas y las ventanas para ver si no había allí abandonada una máquina infernal. En otras partes se veían las siluetas sombrías de la policía montada, teniendo del cabestro a sus caballos y armados de carabinas enfundadas y pistolas para disparar gases lacrimógenos.

Los hombres tímidos pensaban: «¡Qué bien estamos defendidos!», y miraban con agradecimiento las enfundadas armas mortíferas; en cambio, los turistas que paseaban hacían detener a sus chóferes, y con la punta de sus bastones señalaban a sus acompañantes los luminosos nombres de remotas compañías. Estos brillaban en interminables fachadas y, algunos se alegraban y enorgullecían al pensar en el poderío de la patria lejana, cuya expansión económica estaba representada por tales compañías, cuyo nombre era necesario deletrear cerca de las nubes. Tan altos estaban.

Desde las terrazas elevadas, en las cuales parecía que se podían tocar las estrellas con la mano, el viento llevaba sonidos de música, «blues» oblicuamente cortados por la dirección de la brisa. Lámparas de porcelana iluminaban jardines aéreos. Confundidos entre el follaje de costosas vegetaciones, controlados por la respetuosa y vigilante mirada de los camareros, bailaban los desocupados elegantes de la ciudad, hombres y mujeres jóvenes, elásticos por la práctica de los deportes e indiferentes por el conocimiento de los placeres. Algunos parecían carniceros disfrazados con «smoking», sonreían insolentemente, y todos, cuando habla-

[1] *de acuerdo a*: in accordance with.

ban de las clases inferiores, parecían burlarse de algo que con un golpe de sus puños podían destruir.

Los ancianos, cómodamente sentados en sillones de paja japonesa, miraban el azulado humo de sus cigarros o hacían con sus
5 labios un gesto astuto, mientras sus miradas duras y autoritarias reflejaban una implacable seguridad y solidaridad. Aun entre el rumor de la fiesta no se podía menos de [2] imaginarlos presidiendo la mesa redonda de un directorio, autorizando un préstamo abusivo a un país de salvajes y mulatos, bajo cuyos árboles corren linfas
10 de petróleo.

Desde alturas más bajas, en calles más turbias y profundas que ríos, circulaban los techos de automóviles y tranvías, y en los lugares excesivamente iluminados, una microscópica multitud buscaba el placer barato, entrando y saliendo por las puertas de los
15 «dancings» económicos, que como la boca de altos hornos vomitaban atmósferas incandescentes.

Fue entonces cuando ocurrió el suceso extraño.

Cuando el primer violín de la orquesta Jardín Aéreo Imperius iba a colocar en su atril la partitura del «Danubio Azul»,
20 un camarero le dio una carta. El músico, rápidamente la abrió y leyó las breves palabras; entonces mirando por sobre los lentes a sus camaradas, depositó el instrumento sobre el piano, le dio la carta al clarinetista, y como si tuviera mucha prisa descendió por la escalerilla que permitía subir [3] a la orquesta, buscó con la
25 mirada la salida del jardín y desapareció por la escalera de servicio, después de tratar de poner inútilmente en marcha el ascensor.

Las manos de varias bailarinas y sus acompañantes se paralizaron en los vasos que llevaban a los labios para beber, al observar la rara e irrespetuosa conducta de este hombre. Mas, antes de
30 que las gentes se sobrepusieran de su sorpresa, el ejemplo fue seguido por sus compañeros, pues se les vio uno a uno abandonar la orquesta, sumamente serios y ligeramente pálidos.

Es necesario observar que a pesar de la prisa con que ejecutaban estos actos, las personas revelaron cierta meticulosidad. El
35 que más se notó fue el violoncelista, que encerró su instrumento en

---

[2] *no se podía menos de*: one could not help but.   [3] *permitía subir*: led.

la caja. Producía la impresión de querer significar que declinaban una responsabilidad y se «lavaban las manos». Tal dijo después un testigo.

Y si hubieran sido ellos solos.

Los siguieron los camareros. El público, mudo de asombro, 5 sin atreverse a pronunciar palabra (los camareros de estos lugares eran muy robustos) les vio quitarse las chaquetas de servicio y arrojarlas despectivamente sobre las mesas. El capataz de servicio dudaba, pero al observar que el cajero, sin cuidarse de cerrar la caja, abandonaba su alto asiento, sumamente inquieto se agregó 10 a los fugitivos.

Algunos quisieron utilizar el ascensor. No funcionaba.

De repente se apagaron las luces. En la obscuridad, junto a las mesas de mármol, los hombres y mujeres que hasta hacía unos instantes se debatían entre las sutilezas de sus pensamientos 15 y el deleite de sus sentidos, comprendieron que no debían esperar. Ocurría algo que sobrepasaba la capacidad expresiva de las palabras, y entonces con cierto orden temeroso, tratando de reducir la confusión de la fuga, comenzaron a descender silenciosamente por las escaleras de mármol. 20

El edificio de cemento se llenó de zumbidos. No de voces humanas, porque nadie se atrevía a hablar, sino de roces, ruidos, suspiros. De vez en cuando, alguien encendía un fósforo, y por las espirales de las escaleras, en distintas alturas del muro, se movían las siluetas de espaldas encorvadas y enormes cabezas 25 caídas, mientras que en los ángulos de pared las sombras se descomponían en visibles triángulos irregulares.

No hubo ningún accidente.

A veces, un anciano fatigado o una bailarina espantada se dejaba caer en el borde de un escalón y permanecía allí sentada, 30 con la cabeza abandonada entre las manos, sin que nadie la pisoteara. La multitud, como si adivinara su presencia encogida en el escalón, formaba una curva junto a la sombra inmóvil.

El vigilante del edificio, durante dos segundos, encendió su linterna eléctrica, y la rueda de luz blanca permitió ver que hom- 35 bres y mujeres, tomados indistintamente de los brazos, [4] descendían cuidadosamente. El que iba junto al muro llevaba la mano apoyada en el pasamanos.

Al llegar a la calle, los primeros fugitivos respiraron afanosamente largas bocanadas de aire fresco. No era visible una sola lámpara encendida en ninguna dirección.

Alguien raspó un fósforo en una cortina metálica, y entonces descubrieron en las puertas de ciertas casas antiguas, criaturas sentadas pensativamente. Éstas, con una seriedad impropia de su edad, levantaban los ojos hacia los mayores que los iluminaban, pero no preguntaron nada.

De las puertas de los otros rascacielos también salía una multitud silenciosa.

Una señora vieja quiso atravesar la calle, y tropezó con un automóvil abandonado; más allá, algunos borrachos, aterrorizados, se refugiaron en un coche de tranvía cuyos conductores habían huido, y entonces muchos, transitoriamente sin fuerzas, se dejaron caer en los cordones de granito que limitaban la calle.

Las criaturas inmóviles, con los pies recogidos junto a los umbrales, escuchaban en silencio las rápidas pisadas de las sombras que pasaban en confusión.

En pocos minutos los habitantes de la ciudad estuvieron en la calle.

De un punto a otro en la distancia, las luces fosforescentes de linternas eléctricas se movían con irregularidad de luciérnagas. Un hombre resuelto trató de iluminar la calle con una lámpara de petróleo, y tras de la pantalla de vidrio rosado se apagó tres veces la llama. Sin zumbidos, soplaba un viento frío y cargado de tensiones eléctricas.

La multitud crecía mientras que pasaba el tiempo. Las sombras de baja estatura, numerosísimas, avanzaban en el interior de otras sombras menos densas y altísimas de la noche, con cierto automatismo que hacía comprender que muchos acababan de dejar

---

[4] *tomados... brazos*: having taken someone else's arm without bothering to see who it was.

las camas y conservaban aún la incoherencia motora de los semidormidos.

Otros, en cambio, se inquietaban por la suerte de su existencia, y calladamente marchaban al encuentro del destino, levantado, en su imaginación, como un terrible centinela, tras de aquella cortina de humo y de silencio. 5

De fachada a fachada, todas las calles, de este a oeste, se llenaban de multitud. Ésta, en la oscuridad, ponía una capa más densa y oscura que avanzaba lentamente, semejante a un monstruo cuyas partes están ligadas por el jadeo de su propia respiración. 10

De pronto un hombre sintió que le tiraban de una manga insistentemente. Balbuceó preguntas al que así lo tenía, mas como no le contestaban, encendió un fósforo y descubrió el grotesco y velludo rostro de un mono grande que con ojos aterrorizados parecía interrogarlo acerca de lo que pasaba. El desconocido, de un 15 empujón, apartó la bestia de sí, y muchos que estaban próximos a él se fijaron en que los animales estaban en libertad.

Otro identificó varios tigres confundidos en la multitud por las rayas amarillas que a veces lucían entre las piernas de los fugitivos, pero las bestias estaban tan extraordinariamente inquie- 20 tas que, al querer poner el vientre contra el suelo, para mostrar sumisión, impedían la marcha, y fue necesario expulsarlas a puntapiés. Las fieras echaron a correr, y como si hubiera pasado una orden, ocuparon la vanguardia de la multitud.

Pasaban adelante con la cola entre las zarpas y las orejas 25 pegadas a la piel del cráneo. En su elástico avance volvían la cabeza sobre el cuello, y se distinguían sus enormes ojos fosforescentes, como bolas de cristal amarillo. A pesar de que los tigres caminaban lentamente, los perros, para mantenerse a la par de ellos, tenían que mover rápidamente las patas. 30

De repente, sobre la forma gigantesca de un rascacielos, apareció la luna roja. Parecía un ojo de sangre separándose de la línea recta, y su magnitud aumentaba rápidamente. La ciudad, también enrojecida, creció despacio desde el fondo de las tinieblas, hasta fijar sus terrazas en la misma altura que ocupaba la curva 35 descendente del cielo.

Los planos perpendiculares de las fachadas formaban una red de rayas rojas en el cielo negro. En las murallas la atmósfera enrojecida se acumulaba como una neblina de sangre. Parecía que debía verse aparecer sobre la terraza más alta un terrible dios de
5 hierro con un vientre en llamas y las mejillas revelando gula carnicera.

No se percibía ningún sonido, como si por efectos de la luz roja, la gente se hubiera puesto sorda.

Las sombras caían inmensas, pesadas, cortadas en forma de
10 guillotinas monstruosas, sobre los seres humanos en marcha, tan numerosos que hombro con hombro y pecho con pecho llenaban las calles de principio a fin.

Los edificios proyectaban a distinta altura rayas negras paralelas a la profundidad de la atmósfera bermeja. Las altas venta-
15 nas brillaban como láminas de hielo detrás de las cuales había un incendio.

A la claridad terrible y silenciosa era difícil distinguir los rostros femeninos de los masculinos. Todos aparecían igualados y ensombrecidos por la angustia del esfuerzo que hacían con la-
20 bios apretados y los ojos entrecerrados. Muchos se humedecían los labios con la lengua, pues la sed les causaba fiebre. El sudor corría en gotas gruesas por todas las frentes.

De la luna, fijada en un cielo más negro que la brea, venía una sangrienta y pastosa emanación de matadero.

25 La multitud en realidad no caminaba, sino que avanzaba por olas, arrastrando los pies, apoyándose los unos en los otros, muchos hipnotizados por la luz roja que, resplandeciendo de hombro en hombro, hacía más profundos y sorprendentes los oscuros ojos y míseras caras.

30 En las calles laterales los niños permanecían quietos en sus umbrales.

Del tumulto de las bestias, aumentado por los caballos, se había apartado el elefante, que con trote suave corría hacia la playa, acompañado por dos potros. Éstos, con las crines al viento
35 y las cabezas vueltas hacia las grandes orejas del elefante, parecían cuchichearle un secreto.

En cambio los hipopótamos a la cabeza de la vanguardia, respiraban fatigosamente en el aire. Un tigre, restregando el flanco contra los muros, avanzaba de mala gana.[5]

El silencio de la multitud llegó a hacerse insoportable. Un hombre trepó a un balcón y poniéndose las manos ante la boca a modo de altoparlante, gritó frenético: 5

—Amigos, ¿qué pasa, amigos? Yo no sé hablar, es cierto, no sé hablar, pero pongámonos de acuerdo.[6]

Pasaban sin mirarle, y entonces el hombre, secándose el sudor de la frente con el dorso del brazo, se confundió en la muche- 10 dumbre.

Un instante después se oyó un lejano resonar de trueno.

Inconscientemente todos se llevaron un dedo a los labios, una mano a la oreja. No podían ya quedar dudas.

En una distancia llena de fuego y tinieblas, más movediza que 15 un océano de petróleo encendido, giró lentamente sobre su eje la metálica estructura de una grúa.

Oblicuamente un inmenso cañón negro colocó su cónico perfil entre cielo y tierra, escupió fuego retrocediendo sobre su base, y un silbido largo cruzó la atmósfera con un cilindro de acero. 20

Bajo la luna roja, bloqueada de rascacielos rojos, la multitud estalló en un grito de terror:

—¡No queremos la guerra! ¡No..., no..., no!...

Comprendían esta vez que el incendio había estallado sobre todo el planeta, y que nadie se salvaría. 25

# Exercises

## A.  Cuestionario

1. ¿Qué señaló que algo extraordinario iba a ocurrir aquel día?
2. ¿Qué olvidaron los jóvenes que se juraron amor eterno?

[5] *de mala gana*: unwillingly.  [6] *pongámonos de acuerdo*: let's get together on this.

3. ¿Qué cosas indicaron relaciones peligrosas entre este país y otro?
4. ¿Qué actitud tenía la gente frente al peligro?
5. ¿Había paz entre las gentes del país?
6. ¿A qué ciudad norteamericana se parece la de este cuento?
7. ¿Quién fue el primero en recibir las noticias misteriosas?
8. ¿Qué les dijo a los otros este hombre?
9. ¿Qué hacían los otros de la orquesta?
10. ¿Qué hizo el público al ver esto?
11. ¿Había luces en el edificio?, ¿en las calles?
12. ¿Dónde se encontraron por fin todos los habitantes de la ciudad?
13. ¿Qué había en las calles, además de la gente?
14. ¿Qué apareció de repente sobre la forma de un rascacielos?
15. ¿Qué sonidos se percibían en la calle?
16. ¿Ahora cómo avanzaba la gente?
17. ¿Qué tenía hipnotizada a la gente?
18. ¿Dónde estaban los niños?
19. ¿Dónde se presentó el inmenso cañón negro?
20. Cuando el cañón escupió fuego y se oyó un horrible silbido, ¿de qué se dio cuenta la gente?

**B. Key Expressions**

1. frente a (95:4)
2. detrás de (95:7)
3. más allá de (95:14)
4. respecto a (96:7)
5. de acuerdo a (96:9)
6. en otras partes (96:12)
7. en cambio (96:17)
8. no poder menos de + *infinitive* (97:7)
9. por sobre (97:21)
10. tener prisa (97:23)
11. poner en marcha (97:26)
12. sobreponerse (97:30)
13. se les (le) vio (97:31)
14. uno a uno (97:31)
15. atreverse a (98:6)
16. quitarse (98:7)
17. funcionar (98:12)
18. comenzar a + *infinitive* (98:19)
19. de vez en cuando (98:23)
20. dejarse caer (98:30)
21. tropezar con (99:14)
22. mientras que (99:30)
23. inquietarse (100:3)
24. semejante a (100:9)
25. tirar de (100:11)
26. acerca de (100:15)
27. humedecer (101:20)

28. en realidad (101:25)
29. apoyarse en (101:26)
30. de mala gana (102:3)

31. llegar a + *infinitive* (102:4)
32. ponerse de acuerdo (102:8)

## C.  Verb Exercise

Using the expressions in the right-hand column, give the Spanish for the English sentences on the left.

1. *a)* She wet her lips before speaking.
   *b)* If you wet your finger, it will be easier to count them.
   *humedecer*

2. *a)* Why are you in such a hurry?
   *b)* Since I was in a hurry, I didn't see her.
   *tener prisa*

3. *a)* Who has dared to speak against the general?
   *b)* You wouldn't dare to tell her.
   *atreverse a*

4. *a)* We'll have to come to an agreement soon.
   *b)* Those women will never come to an agreement.
   *ponerse de acuerdo*

5. *a)* They never manage to understand these things.
   *b)* Finally, he managed to finish the work.
   *llegar a*

6. *a)* We couldn't help but laugh at him.
   *b)* I can do nothing but admit it to him.
   *no poder menos de*

7. *a)* He took off his hat and sat down.
   *b)* Why don't you take off your shoes?
   *quitarse*

8. *a)* This pen doesn't work very well.
   *b)* Why wasn't your car running well?
   *funcionar*

9. *a)* He leaned against the wall.
   *b)* Listen, Pablo, why don't you lean on my arm?
   *apoyarse en*

10. *a)* They'll begin to work at 8:30.
    *b)* The teacher began to tell them about his trip.
    *comenzar a*

## D. Drill on New Expressions

From the expressions on the right, select the one corresponding to the italicized English words on the left and rewrite the entire sentence in Spanish.

1. *On the other hand,* it's possible we'll lose everything.

2. It's somewhat *similar to* the other building we saw.

3. They began to advance, *one by one.*

4. His office is located *across from* the elevator.

5. I don't have anything to say to you *with regard to* that business last night.

6. Ricardo threw the letter to her *over* the wall.

7. The little town is *beyond* those mountains.

8. Martín stood up with us, but *unwillingly.*

9. They don't want to do it unless it's *according to* the rules.

10. Your bicycle must be *behind* the garage.

detrás de
de acuerdo a
en cambio
más allá de
de mala gana
frente a
acerca de
semejante a
uno a uno
por sobre

Juan José Arreola

# EL GUARDAGUJAS

# The Satire of Juan José Arreola

JUAN JOSÉ ARREOLA *(1918-    ) is a Mexican who has produced two volumes of excellent short stories which have established
him as one of his country's most accomplished writers.* Varia in-
vención *(1949) and* Confabulario *(1952) are made up of elabo-
rately wrought tales in which graceful, though sometimes biting
humor, gentle satire, and a carefully sustained play of intellectual
ideas predominate.*

*In a story like «El guardagujas,» Arreola is at his best. It is a
fantasy—a classification into which many of his works fall. It
opens in rather ordinary circumstances, with a quite unremarkable
situation. (There is a clue, however—a very slight clue—in the
beginning paragraphs which, if you catch it, may prepare you for
the story's ending.) «El guardagujas» is a perfect example of how
fantasy, through controlled exaggeration, may lead from humorous
enjoyment through amusing satire to a state of nightmarish terror
—which, as we all realize, may spring suddenly from the most
prosaic of everyday situations. It is a story that, in the reading
—and rereading—will strike the reader as having several levels of
meaning.*

108

# El guardagujas

El forastero llegó sin aliento a la estación desierta. Su gran valija, que nadie quiso conducir, le había fatigado en extremo. Se enjugó el rostro con un pañuelo, y con la mano en visera [1] miró los rieles que se perdían en el horizonte. Desalentado y pensativo
5 consultó su reloj: la hora justa en que el tren debía partir.

Alguien, salido de [2] quién sabe dónde, le dio una palmada muy suave. Al moverse, el forastero se halló ante un viejecillo de vago aspecto ferrocarrilero. Llevaba en la mano una linterna roja, pero tan pequeña, que parecía de juguete. Miró sonriendo
10 al viajero, y éste le dijo ansioso su pregunta:

—Usted perdone, ¿ha salido ya el tren?

—¿Lleva usted poco tiempo en este país? [3]

—Necesito salir inmediatamente. Debo hallarme en T. [4] mañana mismo. [5]

---

[1] *en visera*: shading his eyes.    [2] *salido de*: who had just appeared from.    [3] *¿Lleva... país?* Haven't you been in this country very long?
[4] *T*.: the traveler's destination.    [5] *mañana mismo*: tomorrow at the latest.

—Se ve que usted ignora por completo lo que ocurre. Lo que debe hacer ahora mismo es buscar alojamiento en la fonda para viajeros, —y señaló un extraño edificio ceniciento que más bien parecía [6] un presidio.

—Pero yo no quiero alojarme, sino salir en el tren. 5

—Alquile usted un cuarto inmediatamente, si es que lo hay. [7] En caso de que pueda conseguirlo, contrátelo por mes, le resultará más barato [8] y recibirá mejor atención.

—¿Está usted loco? Yo debo llegar a T. mañana mismo.

—Francamente, debería abandonarlo a su suerte. [9] Sin embar- 10 go, le daré unos informes.

—Por favor...

—Este país es famoso por sus ferrocarriles, como usted sabe. Hasta ahora no ha sido posible organizarlos debidamente, pero se han hecho ya grandes cosas en lo que se refiere a la publicación 15 de itinerarios y a la expedición de boletos. Las guías ferroviarias comprenden y enlazan todas las poblaciones de la nación; se expenden boletos hasta para las aldeas más pequeñas y remotas. Falta solamente que los convoyes cumplan [10] las indicaciones contenidas en las guías y que pasen efectivamente por las estaciones. 20 Los habitantes del país así lo esperan; mientras tanto, aceptan las irregularidades del servicio y su patriotismo les impide cualquier manifestación de desagrado. [11]

—Pero ¿hay un tren que pase por esta ciudad?

—Afirmarlo equivaldría a cometer una inexactitud. Como us- 25 ted puede darse cuenta, los rieles existen, aunque un tanto averiados. En algunas poblaciones están sencillamente indicados en el suelo, mediante dos rayas de gis. Dadas las condiciones actuales, [12] ningún tren tiene la obligación de pasar por aquí, pero nada impide que eso pueda suceder. Yo he visto pasar muchos trenes en mi vida 30 y conocí algunos viajeros que pudieron abordarlos. Si usted espera

---

[6] *más bien parecía*: looked more like.  [7] *si es que lo hay*: if there is one.  [8] *le resultará más barato*: it will be cheaper for you.  [9] *debería abandonarlo a su suerte*: I should leave you to your fate.  [10] *Falta... cumplan*: The only thing left is for the trains to follow.  [11] *les... desagrado*: prevents any show of displeasure on their part.  [12] *Dadas las condiciones actuales*: In view of present-day conditions.

convenientemente, [13] tal vez yo mismo tenga el honor de ayudarle a subir a un hermoso y confortable vagón.

—¿Me llevará ese tren a T.?

—¿Y por qué se empeña usted en que ha de ser precisamente
5 a T.? Debería darse por satisfecho [14] si pudiera abordarlo. Una vez en el tren, su vida tomará efectivamente algún rumbo. ¿Qué importa si ese rumbo no es el de T.?

—Es que yo tengo un boleto en regla [15] para ir a T. Lógicamente, debo ser conducido a ese lugar, ¿no es así?

10 —Cualquiera diría que usted tiene razón. En la fonda para viajeros podrá usted hablar con personas que han tomado sus precauciones, adquiriendo grandes cantidades de boletos. Por regla general, las gentes previsoras compran pasajes para todos los puntos del país. Hay quien [16] ha gastado en boletos una verdadera
15 fortuna...

—Yo creí que para ir a T. me bastaba un boleto. Mírelo usted...

—El próximo tramo de los ferrocarriles nacionales va a ser construido con el dinero de una sola persona que acaba de gastar
20 su inmenso capital en pasajes de ida y vuelta [17] para un trayecto ferroviario cuyos planos, que incluyen extensos túneles y puentes, ni siquiera han sido aprobados por los ingenieros de la empresa.

—Pero el tren que pasa por T. ¿ya se encuentra en servicio?

—Y no sólo ése. En realidad, hay muchísimos trenes en la
25 nación, y los viajeros pueden utilizarlos con relativa frecuencia, pero tomando en cuenta que no se trata de [18] un servicio formal y definitivo. En otras palabras, al subir a un tren, nadie espera ser conducido al sitio que desea.

—¿Cómo es eso?

30 —En su afán de servir a los ciudadanos, la empresa se ve en el caso de tomar medidas desesperadas. Hace circular trenes por lugares intransitables. Esos convoyes expedicionarios emplean a veces varios años en su trayecto, y la vida de los viajeros sufre

---

[13] *convenientemente*: as you're supposed to.  [14] *darse por satisfecho*: be satisfied.  [15] *en regla*: in proper form.  [16] *Hay quien*: There are people who.  [17] *de ida y vuelta*: round-trip.  [18] *no se trata de*: it is not a question of.

algunas transformaciones importantes. Los fallecimientos no son raros en tales casos, pero la empresa, que todo lo ha previsto, añade a esos trenes un vagón capilla ardiente y un vagón cementerio. Es razón de orgullo para los conductores depositar el cadáver de un viajero —lujosamente embalsamado— en los andenes de la estación 5 que prescribe su boleto. En ocasiones, estos trenes forzados recorren trayectos en que falta uno de los rieles. Todo un lado de los vagones se estremece lamentablemente con los golpes que dan las ruedas sobre los durmientes. Los viajeros de primera —es otra de las previsiones de la empresa— se colocan del lado en que hay 10 riel. Los de segunda padecen los golpes con resignación. Pero hay otros tramos en que faltan ambos rieles; allí los viajeros sufren por igual, hasta que el tren queda totalmente destruido.

—¡Santo Dios!

—Mire usted: la aldea de F. surgió a causa de uno de esos 15 accidentes. El tren fue a dar en un terreno impracticable. [19] Lijadas por la arena, las ruedas se gastaron hasta los ejes. Los viajeros pasaron tanto tiempo juntos, que de las obligadas conversaciones triviales surgieron amistades estrechas. Algunas de esas amistades se transformaron pronto en idilios, y el resultado ha sido F., 20 una aldea progresista llena de niños traviesos que juegan con los vestigios enmohecidos del tren.

—¡Dios mío, yo no estoy hecho para tales aventuras!

—Necesita usted ir templando su ánimo; [20] tal vez llegue usted a convertirse en un héroe. No crea que faltan ocasiones 25 para que los viajeros demuestren su valor y sus capacidades de sacrificio. En una ocasión, doscientos pasajeros anónimos escribieron una de las páginas más gloriosas en nuestros anales ferroviarios. Sucede que en un viaje de prueba, el maquinista advirtió a tiempo una grave omisión de los constructores de la línea. En la 30 ruta faltaba un puente que debía salvar un abismo. Pues bien, el maquinista, en vez de poner marcha hacia atrás, arengó a los pasajeros y obtuvo de ellos el esfuerzo necesario para seguir adelante. Bajo su enérgica dirección, el tren fue desarmado pieza por pieza

---

[19] *fue... impracticable*: found itself in rough, impassable terrain.
[20] *Necesita... ánimo*: You need to start plucking up your courage.

y conducido en hombros al otro lado del abismo, que todavía reservaba la sorpresa de contener en su fondo un río caudaloso. El resultado de la hazaña fue tan satisfactorio que la empresa renunció definitivamente a la construcción del puente, conformándose
5 con hacer un atractivo descuento en las tarifas de los pasajeros que se atrevan a afrontar esa molestia suplementaria.

—¡Pero yo debo llegar a T. mañana mismo!

—¡Muy bien! Me gusta que no abandone usted su proyecto. Se ve que es usted un hombre de convicciones. Alójese por
10 de pronto [21] en la fonda y tome el primer tren que pase. Trate de hacerlo cuando menos; [22] mil personas estarán para [23] impedírselo. Al llegar un convoy, los viajeros, exasperados por una espera demasiado larga, salen de la fonda en tumulto para invadir ruidosamente la estación. Frecuentemente provocan accidentes con su
15 increíble falta de cortesía y de prudencia. En vez de subir ordenadamente se dedican a aplastarse unos a otros; por lo menos, se impiden mutuamente el abordaje, y el tren se va dejándolos amotinados en los andenes de la estación. Los viajeros, agotados y furiosos, maldicen su falta de educación, y pasan mucho tiempo
20 insultándose y dándose de golpes.

—¿Y la policía no interviene?

—Se ha intentado organizar un cuerpo de policía en cada estación, pero la imprevisible llegada de los trenes hacía tal servicio inútil y sumamente costoso. Además, los miembros de ese
25 cuerpo demostraron muy pronto su venalidad, dedicándose a proteger la salida exclusiva de pasajeros adinerados que les daban a cambio de ese servicio todo lo que llevaban encima. Se resolvió entonces el establecimiento de un tipo especial de escuela, donde los futuros viajeros reciben lecciones de urbanidad y un entrena-
30 miento adecuado, que los capacita para que puedan pasar su vida en los trenes. Allí se les enseña [24] la manera correcta de abordar un convoy, aunque esté en movimiento y a gran velocidad. También se les proporciona una especie de armadura para evitar que los demás pasajeros les rompan las costillas.

---

[21] *por de pronto*: in the meantime.   [22] *cuando menos*: at least.
[23] *estarán para*: will be ready to.   [24] *se les enseña*: they are taught.

—Pero una vez en el tren, ¿está uno a cubierto [25] de nuevas dificultades?

—Relativamente. Sólo le recomiendo que se fije muy bien en las estaciones. Podría darse el caso de que usted creyera haber llegado [26] a T., y sólo fuese una ilusión. Para regular la vida a 5 bordo de los vagones demasiados repletos, la empresa se ve obligada a echar mano de [27] ciertos expedientes. Hay estaciones que son pura apariencia: han sido construidas en plena selva [28] y llevan el nombre de alguna ciudad importante. Pero basta poner un poco de atención para descubrir el engaño. Son como las decoraciones del 10 teatro, y las personas que figuran en ellas están rellenas de aserrín. Esos muñecos revelan fácilmente los estragos de la intemperie, pero son a veces una perfecta imagen de la realidad: llevan en el rostro las señales de un cansancio infinito.

—Por fortuna, T. no se halla muy lejos de aquí. 15

—Pero carecemos por el momento de trenes directos. Sin embargo, bien podría darse el caso de que usted llegara a T. mañana mismo, tal como desea. La organización de los ferrocarriles, aunque deficiente, no excluye la posibilidad de un viaje sin escalas. Vea usted, hay personas que ni siquiera se han dado cuenta de [29] 20 lo que pasa. Compran un boleto para ir a T. Pasa un tren, suben, y al día siguiente oyen que el conductor anuncia: «Hemos llegado a T.». Sin tomar precaución alguna, los viajeros descienden y se hallan efectivamente en T.

—¿Podría yo hacer alguna cosa para facilitar ese resultado? 25

—Claro que puede usted. Lo que no se sabe es si le servirá de algo. [30] Inténtelo de todas maneras. Suba usted al tren con la idea fija de que va a llegar a T. No converse con ninguno de los pasajeros. Podrían desilusionarlo con sus historias de viaje, y hasta se daría el caso de que lo denunciaran. 30

—¿Qué está usted diciendo?

[25] *a cubierto*: protected.
[26] *Podría... llegado*: It might happen that you would believe you had arrived.     [27] *echar mano de*: make use of.     [28] *en plena selva*: right in the middle of the jungle.     [29] *ni... de*: haven't even realized.     [30] *si le servirá de algo*: whether it will do you any good.

—En virtud del estado actual de las cosas los trenes viajan llenos de espías. Estos espías, voluntarios en su mayor parte, dedican su vida a fomentar el espíritu constructivo de la empresa. A veces uno no sabe lo que dice y habla sólo por hablar.[31] Pero 5 ellos se dan cuenta en seguida de todos los sentidos que puede tener una frase, por sencilla que sea.[32] Del comentario más inocente saben sacar una opinión culpable. Si usted llegara a cometer la menor imprudencia, sería aprehendido sin más;[33] pasaría el resto de su vida en un vagón cárcel, en caso de que no le obligaran 10 a descender[34] en una falsa estación, perdida en la selva. Viaje usted lleno de fe, consuma la menor cantidad posible de alimentos y no ponga los pies en el andén antes de que vea en T. alguna cara conocida.

—Pero yo no conozco en T. a ninguna persona.

15 —En ese caso redoble usted sus precauciones. Tendrá, se lo aseguro, muchas tentaciones en el camino. Si mira usted por las ventanillas, está expuesto a caer en la trampa de un espejismo. Las ventanillas están provistas de ingeniosos dispositivos que crean toda clase de ilusiones en el ánimo de los pasajeros. No hace falta 20 ser débil[35] para caer en ellas. Ciertos aparatos, operados desde la locomotora, hacen creer, por el ruido y los movimientos, que el tren está en marcha. Sin embargo, el tren permanece detenido semanas enteras, mientras los viajeros ven pasar cautivadores paisajes a través de los cristales.

25 —¿Y eso qué objeto tiene?

—Todo esto lo hace la empresa con el sano propósito de disminuir la ansiedad de los viajeros y de anular en todo lo posible las sensaciones de traslado. Se aspira a que un día se entreguen plenamente al azar, en manos de una empresa omnipotente, y que 30 ya no les importe saber a dónde van ni de dónde vienen.

—Y usted, ¿ha viajado mucho en los trenes?

—Yo, señor, sólo soy guardagujas. A decir verdad, soy un guardagujas jubilado, y sólo aparezco aquí de vez en cuando para

[31] *habla sólo por hablar*: talks just for the sake of talking.   [32] *por sencilla que sea*: no matter how simple it is.   [33] *sin más*: without further ado.   [34] *en... descender*: in the event that they didn't make you get off.   [35] *No... débil*: You don't have to be weak.

recordar los buenos tiempos. No he viajado nunca, ni tengo ganas de hacerlo. Pero los viajeros me cuentan historias. Sé que los trenes han creado muchas poblaciones además de la aldea de F., cuyo origen le he referido. Ocurre a veces que los tripulantes de un tren reciben órdenes misteriosas. Invitan a los pasajeros a que 5 desciendan de los vagones, generalmente con el pretexto de que admiren las bellezas de un determinado lugar. Se les habla[36] de grutas, de cataratas o de ruinas célebres: «Quince minutos para que admiren ustedes la gruta tal o cual», dice amablemente el conductor. Una vez que los viajeros se hallan a cierta distancia, 10 el tren escapa a todo vapor.[37]

—¿Y los viajeros?

—Vagan desconcertados de un sitio a otro durante algún tiempo, pero acaban por congregarse y se establecen en colonia. Estas paradas intempestivas se hacen en lugares adecuados, muy 15 lejos de toda civilización y con riquezas naturales suficientes. Allí se abandonan lotes selectos, de gente joven, y sobre todo con mujeres abundantes. ¿No le gustaría a usted acabar sus días en un pintoresco lugar desconocido, en compañía de una muchachita?

El viejecillo hizo un guiño, y se quedó mirando al viajero con 20 picardía, sonriente y lleno de bondad. En ese momento se oyó un silbido lejano. El guardagujas dio un brinco, lleno de inquietud, y se puso a hacer señales ridículas y desordenadas con su linterna.

—¿Es el tren? —preguntó el forastero.

El anciano echó a correr por la vía, desaforadamente. Cuando 25 estuvo a cierta distancia, se volvió para gritar:

—¡Tiene usted suerte! Mañana llegará a su famosa estación. ¿Cómo dice usted que se llama?

—¡X! —contestó el viajero.

En ese momento el viejecillo se disolvió en la clara mañana. 30 Pero el punto rojo de la linterna siguió corriendo y saltando entre los rieles, imprudentemente, al encuentro del tren.

Al fondo del paisaje, la locomotora se acercaba como un ruidoso advenimiento.

---

[36] *Se les habla*: They are told.     [37] *a todo vapor*: at full steam.

# Exercises

## A. Cuestionario

1. ¿A dónde llegó sin aliento el forastero?
2. ¿Qué le contestó el viejecillo cuando le preguntó si había salido ya el tren?
3. ¿Dónde quería hallarse el forastero a la mañana siguiente?
4. ¿Qué consejo le dio el viejecillo?
5. ¿Hay itinerarios y boletos para todos los pueblos del país?
6. ¿Es verdad que los trenes pasan por las aldeas más pequeñas?
7. ¿Qué falta que haga la compañía de ferrocarriles?
8. Dadas las circunstancias actuales, ¿pasará un tren por la estación donde espera el forastero?
9. Según el viejecillo, al subir a un tren, ¿quién espera ser conducido al sitio que desea?
10. ¿Cómo llegan algunos pasajeros a los andenes de la estación que prescribe su boleto?
11. ¿Qué pasa cuando los trenes recorren trayectos donde hay sólo un riel?
12. ¿Cómo surgió la aldea de F.?
13. ¿Por qué ofrece la empresa un atractivo descuento a algunos pasajeros?
14. ¿Por qué se han construido estaciones en plena selva que son pura apariencia?
15. Cuando llegó el tren por fin, ¿todavía quería llegar a «T» el forastero? ¿Por qué?

## B. Key Expressions

Find the place in the story where these expressions occur and learn their meaning, checking the vocabulary again if necessary.

1. hallarse (109:7)
2. más bien (110:3)
3. en caso de que (110:7)
4. resultar (110:7)

5. faltar que (110:19)
6. mientras tanto (110:21)
7. empeñarse en (111:4)
8. darse por satisfecho (111:5)
9. importar (111:7)
10. tener razón (111:10)
11. bastar (111:16)
12. de ida y vuelta (111:20)
13. ni siquiera (111:22)
14. tomar en cuenta (111:26)
15. faltar (112:7)
16. dar en (112:16)
17. transformarse en (112:20)
18. convertirse en (112:25)
19. a tiempo (112:29)
20. pues bien (112:31)
21. por de pronto (113:9)

22. tratar de + *infinitive* (113:10)
23. cuando menos (113:11)
24. por lo menos (113:16)
25. a cambio de (113:26)
26. se da el caso de que (114:4)
27. a veces (114:13)
28. carecer de (114:16)
29. sin más (115:8)
30. obligar a + *infinitive* (115:9)
31. toda clase de (115:19)
32. a decir verdad (115:32)
33. de vez en cuando (115:33)
34. tener ganas de (116:1)
35. tener suerte (116:27)

## C. Verb Exercise

Using the expressions in the right-hand column, give the Spanish for the English sentences on the left.

1. *a)* Tomorrow we'll be in Monterrey.    *hallarse*
   *b)* When he opened his eyes, he was on the ground.

2. *a)* I don't think they've taken into account all the difficulties.    *tomar en cuenta*
   *b)* You didn't take his age into account, did you?

3. *a)* That poor fellow is never satisfied.    *darse por satisfecho*
   *b)* Luisa would never be satisfied.

4. *a)* This country lacks petroleum.    *carecer de*
   *b)* In this town you'll never lack anything.

5. *a)* Three pesos are missing here.    *faltar*
   *b)* We were missing one suitcase.

6. *a)* The rain changed into snow.     *transformarse en*
   *b)* His garden has changed into a beautiful place.

7. *a)* I'll try to call you around five o'clock.     *tratar de*
   *b)* Why was he trying to get in so early?

8. *a)* He thinks he's always right.     *tener razón*
   *b)* I knew that they were right.

9. *a)* The four books are enough for now.     *bastar*
   *b)* She tells me that two cars won't be enough.

10. *a)* His parents made him stay at home.     *obligar a*
    *b)* I don't want to make you do it.

## D. Drill on New Expressions

From the expressions on the right, select the one corresponding to the italicized English words on the left and rewrite the entire sentence in Spanish.

1. *From time to time,* the sun would hide behind the clouds.
2. We like *all kinds of* fruits and vegetables.
3. What will you do *in the event* they don't feel like helping us?
4. They *didn't even* mention the tickets.
5. *In the meantime,* Mama was looking for us everywhere.
6. Carlos *persisted in* not speaking English with anyone.
7. *To tell the truth,* I don't know either.
8. *It so happens that* Chapo prefers it that way.
9. He said good-bye to his parents and, *without any further to-do,* left the house.
10. *At times,* she thought she couldn't stand it any longer.

mientras tanto
a decir verdad
sin más
de vez en cuando
se da el caso que
a veces
ni siquiera
empeñarse en
toda clase de
en caso de que

## E. Review Exercise

The following verbs which appeared in previous stories also figured in «El guardagujas.» Check your mastery of them by composing a question in Spanish using each of these verbs; then answer the question.

seguir (+ *gerund*)           haber de
tener ganas de                resultar
fijarse en                    darse cuenta de

Augusto Mario Delfino

# EL TELÉFONO

# Augusto Mario Delfino Relates a Family Tragedy

*Author and journalist* AUGUSTO MARIO DELFINO *was born in Montevideo, Uruguay, in 1906. As a young man he worked as a journalist first in Uruguay and later in Argentina. In 1936 he joined the staff of the important* La Nación *of Buenos Aires, beginning a long association with that paper that lasted until his death in 1961. His collection of short stories,* Fin de siglo *(1939), won for him the Premio Municipal for literature awarded that year by the city of Buenos Aires.*

*Delfino's «El teléfono» is a simple, tender story. The special love and understanding between one of the daughters of a family and her father is the single source of the narrative's emotional impact. Its structure, however, is more complex. The story begins in the present, slips back into the past, comes back briefly to the present, and then returns once more to past moments recalled by the daughter Berta before the final, present-time action of the story, the telephone call, is described. (The flower vase is the «key» used to signal present action.) Then, too, there is the curious (and purposely perplexing) figure of Hebe's former beau, Enrique Arenal...*

# El teléfono

Sobre la mesita del pasillo, el teléfono está silencioso desde las cuatro de la tarde. Hebe lo mira, y le dice a Berta, su hermana menor:

—Nadie ha llamado.

Berta alza levemente los hombros y al mirar, a su vez, el teléfono advierte sobre la mesita las rosas mustias en un florero de cristal. Están ahí desde anteayer. Las trajo Hebe. Lo recuerda minuciosamente, detalle por detalle. Eran las ocho y media de la noche. Hebe llegó de la calle. Traía las rosas envueltas en un papel transparente. Antes de besar a la madre, que en el *living* leía el diario; antes de saludarla a ella, tomó el florero, fue a la cocina para llenarlo de agua, volvió y, cuando había empezado a colocar las flores, sonó la campanilla del teléfono. Hebe atendió. Berta le oyó decir:

—Sí, papá. Que comas bien. Que te diviertas.

Entonces, Berta se acercó a la hermana.

—¿Avisó que no viene a comer?

—Lo invitaron unos amigos. Decíselo a mamá. [1]

A las nueve y cuarto se sentaron a la mesa, las tres. Encendieron la radio; conversaron de cosas sin importancia, imprecisables. Eran casi las diez cuando llegó Alberto, el hermano, quien, con su tono de siempre, que tanto puede ser alegre como despreocupado, atajó el fastidio de la mucama:

—Amelia: sírvame todo junto y lo más frío que sea posible. Quiero terminar cuanto antes, porque esta noche va a ser la noche más importante de mi vida.

La madre lo miró como reprochándole: «¿Cuándo dejarás de ser un chiquilín?», pero nada dijo porque sabe que Hebe y Berta le festejan sus ocurrencias. [2]

Acababan de tomar el café cuando sonó el teléfono. Atendió Amelia.

—Es para usted, niño.

—¿No les decía? —se jactó Alberto. Y salió del comedor como si ya lo estuviese contemplando una de sus amigas. Las cuatro mujeres le oyeron decir—: ¿Pero es posible? —después nada pudieron escuchar, porque él habló con voz muy baja. Volvió pálido, brillantes los ojos.

—¡Alberto! —lo interrogó la madre—. ¿Qué te pasa?

—Un amigo, mamá. Tal vez mi mejor amigo. Acaba de sufrir un ataque.

—¿Quién es? —le preguntó Berta.

—Ustedes no lo conocen.

Hebe nada dijo. Se levantó, fue a su dormitorio, se aisló mientras la madre, la hermana, la mucama y la cocinera —mujeres, ahora, confundidas por el secreto de Alberto en la ciudad

---

[1] *Decíselo a mamá*: Tell Mother. In some parts of Spanish America, including Argentina, an additional form for «you» is used. It is in the second person singular but is even more familiar than *tú*. The subject pronoun is *vos*; the direct, indirect, and reflexive object pronouns are *te*; and the object of a preposition is *vos*. The imperative for this form is the infinitive without the final *r* and with stress on the last syllable. For example, the form for *hablar* is *hablá*, for *comer*, *comé*, and for *decir*, *decí*. [2] *le festejan sus ocurrencias*: admire his witticisms.

y la noche— elegían la víctima, sumaban o restaban gravedad, hablaban de fatalidad y alarma.

Eran más de las once cuando sonó el teléfono. Atendió Berta. Hebe, que se había tendido en la cama, se incorporó, prestó
5 atención. La voz de la hermana le confirmó la sospecha. Salió de su cuarto cuando Berta decía:

—No, Alberto, no. Me estás ocultando algo —cuando la madre gritaba:

—¿Qué dice? ¿Qué dice? —cuando Amelia, despertada por el
10 ruido de la campanilla, apareció envuelta en su batón con grandes flores rojas.

Berta colgó el auricular. Su mirada eludió la mirada de la madre, encontró la mirada de Hebe.

—Papá es el enfermo.
15 —Lo sabía —dijo Hebe.

Después todo fue esperar. La madre aceptó cuanto le decía Amelia para alentarla, para despreocuparla; ella misma se estimuló con el recuerdo de una noche de hace treinta años. Hebe era recién nacida. El marido había salido; la primera vez que salía de
20 noche en siete meses. Ella se había quedado dormida en un sillón, junto a la cuna de la niña. La despertó el teléfono. Un amigo llamaba para decirle que no se asustase, que Juan había sufrido un desvanecimiento, que lo habían llevado a la Asistencia Pública [3] y que volvería a su casa en cuanto se le pasara la descompostura.
25 Cuando el amigo cortó la comunicación, ella gritó, gritó mucho, hasta alarmar a los vecinos, que golpearon inútilmente la puerta. Cuando Juan, poco más tarde, entró, ella estaba caída en el suelo, ya casi sin pulso. Berta, que había oído muchas veces la historia, la escuchaba ahora sin prestarle atención. Estaba pendiente del
30 teléfono. Hebe, encerrada en el cuarto de baño, dejó correr el agua para que el ruido cubriese sus sollozos.

Amanecía cuando llegó Alberto. Llegó con dos amigos. Nada dijo. Tendió los brazos hacia la madre, lloró. Después —Berta lo recuerda mientras ve a Hebe que toma el florero, que recoge los

[3] *Asistencia Pública*: Public Hospital.

pétalos caídos sobre la mesita— todo fue simple y extraño. La mañana trajo mucho cansancio. Y un sueño pesado, pesado, contra el que tuvo que luchar. Amelia entró con el diario, pasó con las botellas de la leche, sirvió café, levantó las persianas. Alberto había salido. Cuando volvió, preguntó por la madre. Hebe le dijo:　5

—Está dormida. Le hice poner otra inyección. [4]

Alberto les pidió que se encerrasen en el dormitorio, que no salieran hasta que él no [5] les avisara. Una hora —dos horas, [6] tal vez— más tarde, les dijo:

—Ahora pueden ir.　10

Berta querría olvidar. Querría borrar un día y una noche y mediodía más; no acordarse de su casa llena de gente; llena de flores; de su casa con pocas personas que hablaban en voz baja. Querría olvidarse de Hebe alejándose de Horacio, su novio; de Hebe que, tomándola del brazo, la llevó a la cocina y allí, entre　15 pocillos con restos de café, la asombró al decirle:

—¿Te acordás [7] de Enrique Arenal? ¿Cómo no te vas a acordar? Claro que vos eras muy chica. Tenías doce o trece años. Era aquel muchacho que vivía al lado de casa, en la calle Serrano. Me gustaría que estuviera acá.　20

¿Qué le ocurre a Hebe? ¿Fue posible que en una noche así le hablase de un hombre lejano? Sin duda, lo mandó llamar. Enrique Arenal debe ser ese desconocido que apenas cambió dos palabras con Alberto. «¡Qué cambiada está Hebe! Será mejor que rompa con Horacio. ¿Para qué seguir algo que terminaría hacién-　25 dolos desdichados a los dos? Pero aún es muy pronto —se dice—.

---

[4] *Le... inyección*: I had them give her another shot.　[5] *no*: should not be translated.　[6] *Una hora—dos horas*: the time required to prepare the body for viewing. The «wake» in Latin American countries usually takes place in the family's home with the funeral and burial a day later. Our custom of embalming the body for viewing, with the funeral and burial three or four days later, seems barbaric to many Latin Americans. [7] *acordás*: The *vos* forms in the present tense are also different from the standard *tú* forms. With *-ar* and *-er* verbs, it is the *vosotros* form without the final *i*. For example, the *vos* form for *acordar* is *acordás* for *tener*, *tenés*, and for *ser*, *sos*. With *-ir* verbs, the *vos* form is the same as the *vosotros* form: *vivir*, *vivís*; *salir*, *salís*; etc.

Papá le tenía afecto a Horacio. Romper ahora con Horacio sería como traicionarlo a papá.»

Hebe ha vuelto con el florero vacío. Berta no tardará un minuto más en pedirle que no cometa esa traición.

5 —Hebe... —le dice.

Suena la campanilla del teléfono. Como quien arrebata un arma de la mano del enceguecido, Berta se apodera del auricular. Hebe se lo quita con decisión, con dulzura.

—Atiendo yo. ¡Hola! —exclama. Y enmudece. Palidece. Las 10 palabras que escuchaba son como una palpitación en sus mejillas. Van acentuando su palidez. Los labios, de los que ha desaparecido la sangre y que se ven pálidos a través del rojo postizo, grasoso, apenas insinúan un movimiento. La mirada de Hebe se fija en Berta, que se obstina en quedarse ahí. Como quien cede después 15 de un gran esfuerzo, Hebe asiente—: Sí, soy yo. Pero si [8] te había reconocido. Tu voz es la misma. Sí, la misma. Pero no puedo creerlo. No; no puedo creer... Te lo confieso: me hace muy dichosa y al mismo tiempo me entristece mucho. ¿Bien, decís? [9] Todo lo bien que se puede estar después de esta cosa horrible que 20 ha sucedido. ¿Un viaje? Querés consolarme. Un viaje es distinto. Un viaje tiene la esperanza de la vuelta. No; eso no puedo aceptarlo. La pobre mamá... Está dormida —Hebe baja la voz. Berta vuelve la cabeza como para asegurarse de que el silencio llena el resto de la casa—. Sí, muchas drogas para hacerla dormir. Ya 25 antes, de madrugada, parecía dormida con los ojos abiertos. Hablaba como sin comprender que algo espantoso acababa de herirnos. Más de uno, al verla, habrá pensado que ella no sufría. ¿Más cerca de nosotros, decís? No te oigo bien. Sí; sé que no es ruido. Es todo lo contrario. Se borran tus palabras. ¡Hola! ¡Hola! Ahora 30 sí te oigo. ¿Cómo podés decir eso? ¿Cómo no habría de perdonarte? La torpe soy yo, que no atino a decirte todo lo que debería decirte... Si [10] yo no quiero otra cosa que saberte contento, feliz... ¿Y ese ruido? ¿Qué es ese ruido? ¿Trenes? ¿Me están hablando

---

[8] *si*: should not be translated.   [9] *decís*: you say (present tense for *vos*). Other *vos* forms occur throughout.   [10] *Si*: should not be translated.

desde una estación? ¿Y estás solo? Pobre, pobre mío... Aquí, a mi lado, está Berta. Se lo diré. Se lo diré con tus mismas palabras. No; Alberto ha salido. Tenía cosas que hacer. Cosas urgentes. No; solas no. También está tía Carmen. Se quedará esta noche para acompañarnos. Y hace un momento se fueron las de Oddone. ¿Te 5 acordás de las de Oddone? Vivían a la vuelta de la calle Serrano. María está muy vieja, pero es siempre la misma, parecida a lo que fue. En cambio, ¡si hubieses visto a Elisa! Un kilo de pintura en la cara, un mamarracho... Pero, ¿cómo te hablo de estas cosas? ¡Tan luego en un día como el de hoy![11] No; no lloro...¿Por qué 10 pensás que estoy llorando? Te hace gracia, [12] ¿no? Crees que me pongo fea como cuando era chica y lloraba. Pero vos... —Hebe llora. Las lágrimas ruedan por las mejillas; forman, al juntarse, dos líneas brillantes—. Es que no puedo pronunciar esa palabra. ¿Miedo, decís? Si yo siempre te quise. Y te quiero. No; ¡qué voy 15 a encontrar en Horacio! Tal vez él no sepa que ya no es nada para mí. En una silla, ¡qué se yo!, en la pared me pude apoyar, pero no en él. ¿Vas a cortar? ¡No cortes, por favor! No me dejes sola —sola, porque Hebe no ve a la hermana, que la está mirando con asombro, con piedad, con desprecio—. ¡Tengo tantas palabras 20 de cariño que decirte todavía! No es lo mismo. No es lo mismo que sepas. [13] Es necesario que las oigas. ¡Hola! ¡Hola! ¿Me oís? Es horrible, otra vez los trenes. ¿Qué te importa que ese hombre se acerque por el andén? Está tranquilo. No te preocupes por nada de eso. Para eso soy fuerte. ¿Qué? ¿Nunca más? —grita 25 como si la golpearan—. ¿Nunca más?

—¡Hebe! ¿Estás loca? —le dice Berta—. Dame ese tubo. ¡Basta! —pero detiene su ademán cuando ve que su hermana sonríe, cuando ve en los ojos de la hermana el reflejo de una ternura que ella no comprende. 30

—¿Así?: buenas noches —repite Hebe—. Que descanses, sí; que descanses.

---

[11] *¡Tan... hoy!* Especially on a day like today.  [12] *Te hace gracia*: You think it's funny.  [13] *No... sepas*: It's not the same for you to know.

Coloca el auricular sobre la caja del teléfono, pero sin soltarlo. La mano abre los dedos con el movimiento de animal hermoso y extraño. Berta está ahí. Hebe la ve otra vez. Dice Hebe:

—Era papá.

# Exercises

## A. Cuestionario

1. ¿Desde cuándo están sobre la mesita las rosas que mira Berta?
2. ¿Qué le había dicho a Hebe su padre cuando llamó aquella noche?
3. ¿Por qué no quiso decir Alberto a las demás de la familia quién había sufrido un ataque?
4. ¿Cómo reaccionó Hebe ante todo aquello?
5. ¿Quién resultó ser el enfermo?
6. ¿Cuándo volvió a casa Alberto? ¿Qué noticias traía?
7. ¿Quién era Enrique Arenal?
8. ¿Qué iba Berta a pedirle a Hebe que no hiciera?
9. Cuando sonó el teléfono la última vez, ¿quién atendió?
10. ¿Cómo sabía Hebe con quién hablaba?
11. ¿Qué ruido oyó ella en la línea?
12. ¿Qué dijo Hebe acerca de Horacio?
13. ¿Con quién creía Berta que estaba hablando Hebe?
14. ¿Con quién había estado hablando Hebe?
15. ¿Cómo se explica esto?

## B. Key Expressions

Find the place in the story where these expressions occur and learn their meaning, checking the vocabulary again, if necessary.

1. a su vez (123:5)
2. saludar (123:11)
3. atender (123:13)
4. oír decir (123:14)
5. divertirse (123:15)
6. sin importancia (124:4)
7. de siempre (124:6)
8. cuanto antes (124:9)
9. dejar de + infinitive (124: 11)
10. jactarse (124:17)
11. como si (124:17)
12. tal vez (124:23)
13. tenderse (125:4)
14. cuanto (125:16)
15. mismo (125:17)
16. hace...años (125:18)
17. de noche (125:19)
18. quedarse dormido (125:20)
19. para que (125:31)
20. preguntar por (126:5)
21. acordarse de (126:12)
22. alejarse (126:14)
23. tener afecto a (127:1)
24. tardar + time + en + infinitive (127:3)
25. apenas (127:13)
26. todo lo contrario (127:29)
27. a la vuelta (128:6)
28. hacerle gracia a uno (128: 11)
29. cortar (128:18)
30. preocuparse por (128:24)
31. soltar (129:1)

## C. Verb Drill

Using the verbs in the right-hand column, give the Spanish for the English sentences on the left.

1. a) Do you want to say hello to Anita?    *saludar*
   b) He greeted us as he entered.
2. a) When Leo called, who answered the phone?    *atender*
   b) Is the phone ringing? I'll get it.
3. a) I've heard it said that Paris is beautiful in the spring.    *oír decir*
   b) Who heard him say all that?
4. a) She wanted us to have a good time at their party.    *divertirse*
   b) Enjoy yourselves and don't get home late.

5. *a)* He's always bragging about his rela-    *jactarse*
        tives.
    *b)* I wouldn't boast about that if I were
        you.

6. *a)* He stretched out on the ground in the    *tenderse*
        sun.
    *b)* I'm going to lie down here for a while.

7. *a)* Remember that artist from Uruguay?    *acordarse de*
    *b)* Suddenly, I remembered the date.

8. *a)* He went off very sadly.    *alejarse*
    *b)* Don't go too far away.

9. *a)* Why do you think my idea's so funny?    *hacerle gracia a*
    *b)* Listen, this is going to amuse you.               *uno*

10. *a)* Wait a moment, don't hang up.    *cortar*
     *b)* I'm sorry, but she hung up.

## D. Drill on New Expressions

From the expressions on the right, select the one corresponding to the italicized English words on the left and rewrite the entire sentence in English.

1. I'm telling you all this *so that* you'll know what to do.
2. No, it's not that; it's *just the opposite*.
3. Pedro is *possibly* the only friend he has.
4. I *scarcely* had time to get dressed.
5. They spent the day talking about *trivial* things.
6. We were in Mar del Plata for the *usual* three weeks.
7. Nora, *in turn*, sold the house to Adolfo.
8. Elena *herself* told us the truth.
9. I'll buy *whatever* you bring me.
10. She said it *as if* she didn't know what could happen.

a su vez
sin importancia
de siempre
como si
tal vez
cuanto
misma
para que
apenas
todo lo contrario

Marco Denevi

# LAS ABEJAS DE BRONCE

# Marco Denevi — Modern-day Fabulist

Marco Denevi *was born in 1922 in Sáenz Peña, a suburb of Buenos Aires. He achieved literary fame with* Rosaura a las diez, *the first book he wrote, winning with it the first prize in a contest held by the Editorial Kraft in Buenos Aires in 1955. It has been reprinted many times, has been translated into several languages, and was made into a movie. In 1961, Denevi submitted a long story entitled «Ceremonia secreta» to the first literary competition sponsored by* Life en Español, *the Latin American edition of* Life *magazine. It won the first prize of $5,000. Since them, he has continued writing (and winning prizes) as a novelist, short-story writer, and playwright.*

*Much of Denevi's work reveals a fondness for whimsy, fantasy, and—always just below the surface—social satire. The latter is reflected in «Las abejas de bronce,» a story that criticizes an aspect of modern life against which Denevi has always rebelled. As a resident of the largest city in the world south of the equator, he feels compelled here to point out certain consequences of the technological progress manifested in the metropolises of our age.*

# Las abejas de bronce

Desde el principio del tiempo el Zorro vivió de la venta de la miel. Era, aparte de una tradición de familia, una especie de vocación hereditaria. Nadie tenía la maña del Zorro para tratar a las Abejas (cuando las Abejas eran unos animalitos vivos y muy irritables) y hacerles rendir al máximo. Esto por un lado. [1]

Por otro lado [2] el Zorro sabía entenderse con el Oso, gran consumidor de miel y, por lo mismo, [3] su mejor cliente. No resultaba fácil llevarse bien con el Oso. El Oso era un sujeto un poco brutal, un poco salvaje, al que la vida al aire libre, si le proporcionaba una excelente salud, lo volvía de una rudeza de manera [4] que no todo el mundo estaba dispuesto a tolerarle.

(Incluso el Zorro, a pesar de su larga práctica, tuvo que sufrir algunas experiencias desagradables en ese sentido.) Una vez,

---

[1] *Esto por un lado*: This to begin with.  [2] *Por otro lado*: Furthermore.
[3] *por lo mismo*: by the same token.  [4] *lo... manera*: made him so rough.

por ejemplo, a causa de no sé qué cuestión baladí, el Oso destruyó de un zarpazo la balanza para pesar la miel. El Zorro no se inmutó ni perdió su sonrisa. (*Lo enterrarán con la sonrisa puesta, decía de él, desdeñosamente, su tío el Tigre.*) Pero le hizo notar al Oso que, conforme a la ley, estaba obligado a indemnizar aquel 5 perjuicio.

—Naturalmente —se rio el Oso— te indemnizaré. Espera que corro a indemnizarte. [5] No me alcanzan las piernas para correr a indemnizarte. [6]

Y lanzaba grandes carcajadas y se golpeaba un muslo con la 10 mano.

—Sí —dijo el Zorro con su voz tranquila—, sí, le aconsejo que se dé prisa, porque las Abejas se impacientan. Fíjese, señor.

Y haciendo un ademán teatral, un ademán estudiado, señaló las colmenas. El oso se fijó e instantáneamente dejó de reír. Por- 15 que vio que millares de abejas habían abandonado los panales y con el rostro rojo de cólera, el ceño fruncido y la boca crispada, lo miraban de hito en hito [7] y parecían dispuestas a atacarlo.

—No aguardan sino mi señal [8] —agregó el Zorro, dulcemente—. Usted sabe, detestan las groserías. 20

El Oso, que a pesar de su fuerza era un fanfarrón, palideció de miedo.

—Está bien, Zorro —balbuceaba—, repondré la balanza. Pero por favor, dígales que no me miren así, ordéneles que vuelvan a sus colmenas. 25

—¿Oyen, queriditas? —dijo el Zorro melifluamente, dirigiéndose a las Abejas—. El señor Oso nos promete traernos otra balanza.

Las Abejas zumbaron a coro. El Zorro las escuchó con expresión respetuosa. De tanto en tanto [9] asentía con la cabeza y mur- 30 muraba:

---

[5] *Espera... indemnizarte*: You just wait. I'll break my neck running to pay you back for the damage (*sarcastically, of course*). [6] *No... indemnizarte*: I can't hurry fast enough to pay you back for the damage. [7] *de hito en hito*: from head to foot. [8] *No... señal*: They're just waiting for my signal. [9] *De tanto en tanto*: Every so often.

—Sí, sí, conforme. Ah, se comprende. ¿Quién lo duda? Se lo transmitiré.

El Oso no cabía en su vasto pellejo.

—¿Qué es lo que están hablando, Zorro? Me tienes sobre
5 ascuas.

El Zorro lo miró fijo.

—Dicen que la balanza deberá ser flamante.

—Claro está, flamante. Y ahora, que se vuelvan.

—Niquelada.

10 —De acuerdo, niquelada.

—Fabricación extranjera.

—¿También eso?

—Preferentemente suiza.

—Ah, no, es demasiado. Me extorsionan.

15 —Repítalo, señor Oso. Más alto. No lo han oído.

—Digo y sostengo que... Está bien, está bien. Trataré de complacerlas. Pero ordénales de una buena vez [10] que regresen a sus panales. Me ponen nervioso tanta caras de abeja juntas, mirándome.

El Zorro hizo un ademán raro, como un ilusionista, y las
20 Abejas, después de lanzar al Oso una última mirada amonestadora, desaparecieron dentro de las colmenas. El Oso se alejó, un tanto mohino y con la vaga sensación de que lo habían engañado. Pero al día siguiente reapareció trayendo entre sus brazos una balanza flamante, niquelada, con una chapita de bronce donde se leía:
25 *Made in Switzerland.*

Lo dicho: [11] el Zorro sabía manejar a las Abejas y sabía manejar al Oso. Pero ¿a quién no sabía manejar ese zorro del Zorro? [12]
Hasta que un día se inventaron las abejas artificiales.

Sí. Insectos de bronce, dirigidos electrónicamente, a control
30 remoto (como decían los prospectos ilustrativos), podían hacer el mismo trabajo que las Abejas vivas. Pero con enormes ventajas. No se fatigaban, no se extraviaban, no quedaban atrapadas en las redes de las arañas, no eran devoradas por los Pájaros; no se ali-

---

[10] *de una buena vez*: once and for all.    [11] *Lo dicho*: As I have said.
[12] *¿a... Zorro?* Who didn't that foxiest of all foxes know how to boss around?

mentaban, a su vez, de miel, como las Abejas naturales (miel que en la contabilidad y en el alma del Zorro figuraba con grandes cifras rojas); no había, entre ellas, ni reinas, ni zánganos; todas iguales, todas obreras, todas dóciles, obedientes, fuertes, activas, de vida ilimitada, resultaban, en cualquier sentido que se considerase la cuestión, infinitamente superiores a las Abejas vivas. 5

El Zorro en seguida vio el negocio, y no dudó. Mató todos sus enjambres, demolió las colmenas de cera, con sus ahorros compró mil abejas de bronce y su correspondiente colmenar también de bronce, mandó instalar el tablero de control, aprendió a manejarlo, 10 y una mañana los animales presenciaron, atónitos, cómo las abejas de bronce atravesaban por primera vez el espacio.

El Zorro no se había equivocado. Sin levantarse siquiera de su asiento, movía una palanquita, y una nube de abejas salía rugiendo hacia el norte, movía otra palanquita, y otro grupo de abe- 15 jas disparaba hacia el sur, un nuevo movimiento de palanca, y un tercer enjambre se lanzaba en dirección al este, *et sic de ceteris*. [13] Los insectos de bronce volaban raudamente, a velocidades nunca vistas, con una especie de zumbido amortiguado que era como el eco de otro zumbido; se precipitaban como una flecha sobre los 20 cálices, sorbían rápidamente el néctar, volvían a levantar vuelo, regresaban a la colmena, se incrustaban cada una en su alvéolo, hacían unas rápidas contorsiones, unos ruiditos secos, *tric, trac, cruc,* y a los pocos instantes destilaban la miel, una miel pura, limpia, dorada, incontaminada, aséptica; y ya estaban en condi- 25 ciones de recomenzar. Ninguna distracción, ninguna fatiga, ningún capricho, ninguna cólera. Y así las veinticuatro horas del día. El Zorro no cabía en sí de contento. [14]

La primera vez que el Oso probó la nueva miel puso los ojos en blanco,[15] hizo chasquear la lengua y, no atreviéndose a opinar, 30 le preguntó a su mujer:

—Vaya, ¿qué te parece?

---

[13] *et sic de ceteris*: and the same for all the rest (*Latin*). [14] *no... contento*: was beside himself with joy. [15] *puso... blanco*: he rolled his eyes.

—No sé —dijo ella—. Le siento gusto a metal. [16]

—Sí, yo también.

Pero sus hijos protestaron a coro:

—Papá, mamá, qué disparate. Si se ve a la legua que esta
5 miel es muy superior. Superior en todo sentido. ¿Cómo pueden
preferir aquella otra, elaborada por unos bichos tan sucios? En
cambio ésta es más limpia, más higiénica, más moderna y, en una
palabra, más miel.

El Oso y la Osa no encontraron razones con que rebatir a
10 sus hijos y permanecieron callados. Pero cuando estuvieron solos
insistieron:

—Qué quieres, [17] sigo prefiriendo la de antes. Tenía un
sabor...

—Sí, yo también. Hay que convenir, eso sí, [18] en que la de
15 ahora viene pasterizada. Pero aquel sabor...

—Ah, aquel sabor...

Tampoco se atrevieron a decirlo a nadie, porque, en el fondo,
se sentían orgullosos de servirse en un establecimiento donde trabajaba esa octava maravilla de las abejas de bronce.

20 —Cuando pienso que, bien mirado, [19] las abejas de bronce
fueron inventadas exclusivamente para nosotros... —decía la mujer
del Oso.

El Oso no añadía palabra y aparentaba indiferencia, pero por
dentro estaba tan ufano como su mujer.

25 De modo que por nada del mundo hubieran dejado de comprar y comer la miel destilada por las abejas artificiales. Y menos
todavía cuando notaron que los demás animales también acudían
a la tienda del Zorro a adquirir miel, no porque les gustase la
miel, sino a causa de las abejas de bronce y para alardear de mo-
30 dernos. [20]

Y, con todo esto, las ganancias del Zorro crecían como un
incendio en el bosque. [21] Tuvo que tomar a su servicio un ayudante y eligió, después de meditarlo mucho, al Cuervo, sobre todo

[16] *Le... metal*: I get a metal taste from it.    [17] *Qué quieres*: Say what
you want.    [18] *eso sí*: without a doubt.    [19] *bien mirado*: if one really
thinks about it.    [20] *alardear de modernos*: brag about being modern.
[21] *como... bosque*: like wildfire.

porque le aseguró que aborrecía la miel. Las mil abejas fueron pronto cinco mil; las cinco mil, diez mil. Se comenzó a hablar de las riquezas del Zorro como de una fortuna fabulosa. El Zorro se sonreía y se frotaba las manos.

Y entretanto los enjambres iban, venían, salían, entraban. Los animales apenas podían seguir con la vista aquellas ráfagas de puntos dorados que cruzaban sobre sus cabezas. Las únicas que, en lugar de admirarse, pusieron el grito en el cielo, fueron las Arañas, esas analfabetas. Sucedía que las abejas de bronce atravesaban las telarañas y las hacían pedazos.

—¿Qué es esto? ¿El fin del mundo? —chillaron las damnificadas la primera vez que ocurrió la cosa.

Pero como alguien les explicó luego de qué se trataba, amenazaron al Zorro con iniciarle pleito. ¡Qué estupidez! Como decía la mujer del Oso:

—Es la eterna lucha entre la luz y la sombra, entre el bien y el mal, entre la civilización y la barbarie.

También los Pájaros se llevaron una sorpresa. [22] Porque uno de ellos, en la primera oportunidad en que vio una abeja de bronce, abrió el pico y se la tragó. ¡Desdichado! La abeja metálica le desgarró las cuerdas vocales, se le embutió en el buche y allí le formó un tumor, de resultas del cual falleció al poco tiempo, en medio de los más crueles sufrimientos y sin el consuelo del canto, porque había quedado mudo. Los demás Pájaros escarmentaron.

Y cuando ya el Zorro paladeaba su prosperidad, comenzaron a aparecer los inconvenientes. Primero una nubecita, después otra nubecita, hasta que todo el cielo amenazó tormenta.

La serie de desastres quedó inaugurada con el episodio de las rosas artificiales. Una tarde, al vaciar una colmena, el Zorro descubrió entre la miel rubia unos goterones grises, opacos, de un olor nauseabundo y sabor acre. Tuvo que tirar toda la miel restante, que había quedado contaminada. Pronto supo, y por la colérica boca de la víctima, el origen de aquellos goterones repugnantes. Había sucedido que las abejas de bronce, desprovistas de

---

[22] *se llevaron una sorpresa*: were surprised.

instintos, confundieron un ramo de rosas artificiales de propiedad de la Gansa con rosas naturales, y cayendo sobre ellas les sorbieron la cera pintada de que estaban hechas y las dejaron convertidas en un guiñapo. El Zorro, no solamente debió de sufrir la
5 pérdida de la miel, sino indemnizar a la Gansa por daños y perjuicios.

—Malditas abejas —vociferaba mentalmente—. Las otras jamás habrían caído en semejante error. Tenían un instinto infalible. Pero quién piensa en las otras. En fin, nada es perfecto en este mundo.
10 Otro día, una abeja, al introducirse como una centella en la corola de una azucena, degolló a un Picaflor que se encontraba allí alimentándose. La sangre del pájaro tiñó de rojo la azucena. Pero como la abeja, insensible a olores y sabores, no atendía sino sus impusos eléctricos, libó néctar y sangre, todo junto. Y la miel
15 apareció después con un tono rosa que alarmó al Zorro. Felizmente su empleado le quitó la preocupación de encima.

—Si yo fuese usted, Patrón —le dijo con su vocecita ronca y su aire de solterona—, la vendería como miel especial para niños.

—¿Y si resultase venenosa?
20 —En tan desdichada hipótesis yo estaría muerto, Patrón.

—Ah, de modo que la ha probado. De modo que mis subalternos me roban la miel. ¿Y no me juró que la aborrecía?

—Uno se sacrifica, y vean cómo le pagan —murmuró el Cuervo, poniendo cara [23] de dignidad ultrajada—. La aborrezco, la abo-
25 rreceré toda mi vida. Pero quise probarla para ver si era venenosa. Corrí el riesgo por usted. Ahora, si cree que he procedido mal, despídame, Patrón.

¿Qué querían que hiciese el Zorro, sino seguir el consejo del Cuervo? Tuvo un gran éxito con la miel rosa especial para niños.
30 La vendió íntegramente. Y nadie se quejó. (El único que pudo quejarse fue el Cerdo, a causa de ciertas veleidades poéticas que asaltaron por esos días a sus hijos. Pero ningún Cerdo que esté en su sano juicio es capaz de relacionar la extraña locura de hacer versos con un frasco de miel tinta en la sangre de un Picaflor.)

---

[23] *poniendo cara*: taking on an expression.

El Zorro se sintió a salvo. Pobre Zorro, ignoraba que sus tribulaciones iban a igualar a sus abejas.

Al cabo de unos días observó que los insectos tardaban cada vez más tiempo [24] en regresar a las colmenas.

Una noche, encerrados en la tienda, él y el Cuervo consideraron aquel nuevo enigma.

—¿Por qué tardan tanto? —decía el Zorro— ¿A dónde diablos van? Ayer un enjambre demoró cinco horas en volver. La producción diaria, así, disminuye, y los gastos de electricidad aumentan. Además, esa miel rosa la tengo todavía atravesada en la garganta. A cada momento me pregunto: ¿Qué aparecerá hoy? ¿Miel verde? ¿Miel negra? ¿Miel azul? ¿Miel salada?

—Accidentes como el de las flores artificiales no se han repetido, Patrón. Y en cuanto a la miel rosa, no creo que tenga de qué quejarse. [25]

—Lo admito. Pero ¿y este misterio de las demoras? ¿Qué explicación le encuentra?

—Ninguna. Salvo...

—¿Salvo qué?

El Cuervo cruzó gravemente las piernas, juntó las manos y miró hacia arriba.

—Patrón —dijo, después de reflexionar unos instantes—. Salir y vigilar a las abejas no es fácil. Vuelan demasiado rápido. Nadie, o casi nadie, puede seguirlas. Pero yo conozco un pájaro que, si se le unta la mano, [26] se ocuparía del caso. Y le doy mi palabra que no volvería sin haber averiguado la verdad.

—¿Y quién es ese pájaro?

—Un servidor. [27]

El Zorro abrió la boca para cubrir de injurias al Cuervo, pero luego lo pensó mejor y optó por aceptar. Pues cualquier recurso era preferible a quedarse con los brazos cruzados, con-

---

[24] *cada vez más tiempo*: longer and longer.   [25] *de qué quejarse*: anything to complain about.   [26] *si... mano*: if you grease his palm.   [27] *Un servidor*: Yours truly.

templando la progresiva e implacable disminución de las ganancias.

El Cuervo regresó muy tarde, jadeando como si hubiese vuelto volando desde la China. (El Zorro, de pronto, sospechó que
5 todo era una farsa y que quizá su empleado conocía la verdad desde el primer día.) Su cara no hacía presagiar nada bueno.

—Patrón —balbuceó—, no sé cómo decírselo. Pero las abejas tardan, y tardarán cada vez más, porque no hay flores en la comarca y deben ir a libarlas al extranjero.
10 —Cómo que no hay flores [28] en la comarca. ¿Qué tontería es esa?

—Lo que oye, Patrón. Parece ser que las flores, después que las abejas les han sorbido el néctar, se doblan, se debilitan y se mueren.
15 —¡Se mueren! ¿Y por qué se mueren?

—No resisten la trompa de metal de las abejas.

—¡Diablos!

—Y no termina ahí la cosa. La planta, después que las abejas le asesinaron las flores...
20 —¡Asesinaron! Le prohibo que use esa palabra.

—Digamos mataron. La planta, después que las abejas le mataron sus flores, se niega a florecer nuevamente. Consecuencia: en toda la comarca no hay más flores. ¿Qué me dice, Patrón?

El Zorro no decía nada. Nada. Estaba alelado.
25 Y lo peor es que el Cuervo no mentía. Las abejas artificiales habían desvastado las flores del país. Entonces pasaron a los países vecinos, después a los más próximos, luego a los menos próximos, más tarde a los remotos y lejanos, y así, de país en país, dieron toda la vuelta al mundo y regresaron al punto de partida.
30 Ese día los Pájaros se sintieron invadidos de una extraña congoja, y no supieron por qué. Algunos, inexplicablemente, se suicidaron. El Ruiseñor quedó afónico y los colores del Petirrojo palidecieron. Se dice que ese día ocurrieron extraños acontecimientos. Se dice que, por ejemplo, los ríos dejaron de correr y las

[28] *Cómo... flores*: What do you mean there are no flowers.

fuentes, de cantar. No sé. Lo único que sé es que, cuando las abejas de bronce, de país en país, dieron toda la vuelta al mundo, ya no hubo flores en el campo, ni en las ciudades, ni en los bosques, ni en ninguna parte.

Las abejas volvían de sus viajes, anidaban en sus alvéolos, se <sup>5</sup> contorsionaban, hacían *tric, trac, cruc,* pero el Zorro no recogía ni una miserable gota de miel. Las abejas regresaban tan vacías como habían salido.

El Zorro se desesperó. Sus negocios se desmoronaron. Aguantó un tiempo gracias a sus reservas. Pero incluso estas reservas <sup>10</sup> se agotaron. Debió despedir al Cuervo, cerrar la tienda, perder la clientela.

El único que no se resignaba era el Oso.

—Zorro —vociferaba—, o me consigues miel o te levanto la tapa de los sesos. [29] <sup>15</sup>

—Espere. Pasado mañana recibiré una partida del extranjero —le prometía el Zorro. Pero la partida del extranjero no llegaba nunca.

Hizo unas postreras tentativas. Envió enjambres en distintas direcciones. Todo inútil. El *tric, trac, cruc* como una burla, pero <sup>20</sup> nada de miel.

Finalmente, una noche el Zorro desconectó los cables, destruyó el tablero de control, enterró en un pozo las abejas de bronce, recogió sus dineros y al favor de las sombras huyó con rumbo desconocido. <sup>25</sup>

Cuando iba a cruzar la frontera escuchó a sus espaldas unas risitas y unas vocecitas de vieja que lo llamaban.

—¡Zorro! ¡Zorro!

Eran las Arañas, que a la luz de la luna tejían sus telas prehistóricas. <sup>30</sup>

El Zorro les hizo una mueca obscena y se alejó a grandes pasos.

Desde entonces nadie volvió a verlo jamás.

---

[29] *te... sesos*: I'll beat your brains out.

# Exercises

## A. Cuestionario

1. ¿De qué había vivido el Zorro desde el principio del tiempo?
2. ¿Qué maña especial tenía el Zorro?
3. ¿Cómo era el mejor cliente del Zorro?
4. ¿Qué experiencia desagradable sufrió el Zorro a causa del Oso?
5. ¿Qué tuvo que traerles el Oso al Zorro y a las Abejas?
6. ¿Cuáles eran las ventajas de las abejas de bronce?
7. ¿Qué hizo el Oso al probar por primera vez la nueva miel?
8. ¿Por qué acudían todos los animales a la tienda del Zorro a adquirir miel?
9. ¿Qué perjuicios sufrieron las Arañas?
10. ¿Qué le ocurrió a un Pájaro que se tragó una abeja de bronce?
11. ¿Por qué tuvo que tirar el Zorro toda la miel en una ocasión?
12. ¿Cuánto dinero le sacó la Gansa al Zorro?
13. ¿Qué tiñó de rosa la miel?
14. ¿Qué nueva miel tuvo un gran éxito?
15. ¿Cuánto tiempo demoró un enjambre en volver a la colmena?
16. ¿Qué sospechó el Zorro cuando el Cuervo regresó?
17. ¿Por qué no había flores en toda la comarca?
18. ¿Cuál fue la amenaza del Oso?
19. ¿Qué les ocurrió a algunos Pájaros? ¿Al Ruiseñor? ¿Al Petirrojo?
20. Al final del cuento, ¿cómo resolvió el Zorro el asunto?

## B. Key Expressions

Find the place in the story where these expressions occur and learn their meaning, checking the vocabulary again, if necessary.

1. aparte de (135:2)
2. tratar a (135:3)
3. por otro lado (135:6)
4. entenderse con (135:6)

5. por lo mismo (135:7)
6. resultar (135:7)
7. llevarse bien (135:8)
8. al aire libre (135:9)
9. todo el mundo (135:11)
10. estar dispuesto a (135:11)
11. conforme a (136:5)
12. darse prisa (136:13)
13. (no) dejar de + infinitive (136:15)
14. a coro (136:29)
15. flamante (137:7)
16. de acuerdo (137:10)
17. de una buena vez (137:17)
18. extraviarse (137:32)
19. aprender a + infinitive (138:10)
20. equivocarse (138:13)
21 a la legua (139:4)
22. de modo que (139:25)
23. apenas (140:6)
24. llevarse una sorpresa (140:18)
25. probar (141:21)
26. poner cara de (141:24)
27. tener éxito (141:29)
28. quejarse (141:30)
29. al cabo de (142:3)
30. tardar en + infinitive (142:3)
31. cada vez más tiempo (142:3)
32. en cuanto a (142:14)
33. optar por (142:30)
34. negarse a + infinitive (143:22)
35. más tarde (143:28)
36. dar la vuelta al mundo (143:28)
37. ninguna parte (144:4)
38. despedir (144:11)
39. pasado mañana (144:16)

## C. Verb Exercise

Using the verbs in the right-hand column, give the Spanish for the English sentences on the left.

1. a) He deals with a lot of young people.    *tratar a*
   b) Have you dealt much with students?
2. a) It turned out that Susana was his wife.    *resultar*
   b) I hope it turns out well.
3. a) It's possible that here you'll get along well with everyone.    *llevarse bien*
   b) Those two have never gotten along very well.
4. a) We are prepared to pay you a hundred dollars per week.    *estar dispuesto a*
   b) The teacher wasn't ready to accept that answer.

5. *a)* Don't fail to do what I told you.      *(no) dejar de*
   *b)* I stopped writing to Bettina six months ago.

6. *a)* Did you learn to speak Spanish when     *aprender a*
   you were in Bogotá?
   *b)* We learned how to live well without much money.

7. *a)* We all hope you have success with     *tener éxito*
   your book.
   *b)* Martín was very successful in New York.

8. *a)* Why were you complaining?     *quejarse*
   *b)* I wouldn't complain if I had your job.

9. *a)* It took us an hour to go from this     *tardar*
   house to mine.
   *b)* It will take me a long time to do that.

10. *a)* Which would you pick, the big one or     *optar por*
    the small one?
    *b)* I chose to return to this country.

## D. Drill on New Expressions

From the expressions on the right, select the one corresponding to the italicized English words on the left and rewrite the entire sentence in Spanish.

1. Why don't you tell him the truth *once and for all?*

2. *Later on,* another road was found.

3. *So* finally everyone went home without having eaten anything.

4. «Good morning, teacher,» they all answered *in unison.*

5. That's right, Gustavo has a *brand-new* car.

6. *Aside from* being beautiful, Luisa is a marvelous cook.

aparte de
por otro lado
a coro
flamante
de acuerdo
de una buena vez
a la legua
de modo que
en cuanto a
más tarde

7. You can tell *from a mile away* that he's Pedro's brother.
8. *Furthermore*, there's the problem of the bees.
9. *O.K.*, I'll be there a little before nine.
10. *As for* Paulina, I don't know what to tell you.

**E. Review Exercise**

The adverbial *-mente* forms for the following adjectives appear in «Las abejas de bronce.» Give for each the appropriate adverbial form and the meaning in English.

| | | | |
|---|---|---|---|
| desdeñoso | melífluo | raudo | feliz |
| instantáneo | electrónico | rápido | íntegro |
| natural | infinito | exclusivo | nuevo |
| dulce | | | |

Clemente Palma

# EN EL CARRETÓN

# Clemente Palma: A Ride to the Graveyard

*The Peruvian Clemente Palma (1872-1946) was the son of Don Ricardo Palma, author of the* tradición *«El alacrán de fray Gómez» which appears in this volume. The younger Palma followed in his father's footsteps insofar as he also became known as a writer. But his outlook on life and his literary style were notably different. He published two volumes of short stories,* Cuentos malévolos *(1904) and* Historietas malignas *(1925), as well as a novel of fantasy,* XYZ *(1934). A certain sense of perversity and even of misanthropy in his writings distinguishes his work from the roguish, good-natured, tolerant sketches which brought fame to his father.*

*There is, to be sure, a touch of humor in Clemente Palma's stories, but it is neither wholesome nor sunny. Today we might refer to several of his tales as examples of «sick» humor. A typically Poe-esque or decadent mood pervades the story chosen here. «El carretón» is a medical student's nightmare; the scene would appear to be Germany; the explanation of it all—well, let young Heinrich tell it.*

# En el carretón

Me creyeron muerto, y como soy un pobre diablo de estudiante sin familia y sin fortuna, el carro mortuorio de los paupérrimos me recogió para conducirme al cementerio a la fosa común de los anónimos.

5 Yo había bebido mucho ajenjo en la taberna, y Karl, que había bebido más, mucho más que yo, quiso jugarme a los dados el amor de su querida, una rubia anémica, con ojos luminosos de tuberculosis—contra el amor de mi novia ideal: la Luna.—Oh, no acepto—le dije—Silvia es bella, pero no lo es tanto [1] que

10 su belleza pueda compararse a la de mi amada!... Karl se irritó grandemente con mi menosprecio por su dama: arrojó su capa sobre el mostrador de la taberna, desenvainó su daga y vino violento hacia mí:—Heinrich, el viejo Kauffmann nos ha enseñado a hacer la transfusión de la sangre, y necesito de la tuya para

---

[1] *no lo es tanto*: she isn't so much so.

hacer que los lirios de las mejillas de mi Silvia se truequen en rosas ...Ea, defiéndete! Y luchamos, tambaleándonos de borrachera y de furor. Herí dos veces a Karl; pero al fin caí herido mortalmente de una feroz puñalada que recibí en el hombro. Después no sé lo que pasó, ni cuánto tiempo transcurrió... Me creyeron 5 muerto, y como soy un pobre diablo de estudiante sin fortuna y sin familia, la carroza de los muertos paupérrimos cargó piadosamente con mi cuerpo.

Abrí los ojos. Me rodeaba lóbrega obscuridad. El carretón rodaba escandalosamente sobre las piedras de las callejas. Sentí 10 una cabeza recostada pesadamente sobre mi hombro, y que los labios fríos y viscosos de un muerto besaban mi oreja. Estaba entre mis vasallos, entre los muertos, entre mis buenos amigos de la sala de disección, a quienes descoyuntaba los huesos, abría las arterias, sajaba los músculos y arrancaba las vísceras con la 15 colaboración de mi camarada Karl y de mi viejo maestro el profesor Kauffmann.

Rodaba el carretón. Por las rendijas penetraban fugitivas las miradas de los faroles, resbalando rápidamente sobre los rostros lívidos o amoratados de mis compañeros de viaje, sobre sus miem- 20 bros lesionados, sobre cóndilos que asomaban por las heridas abiertas, sobre encéfalos que se desbordaban de los cráneos rotos; y luego los viajeros rayos de luz cruzaban mi cara, como un latigazo. El carretero gritaba: —¡Arre! ¡Arre!— y el carro seguía su endemoniada fuga 25

Salimos de la ciudad. Las ruedas resbalaban sobre la tierra blanda y sobre el césped, y, al cesar el estrépito, pude escuchar a mis caros amigos los muertos como charlaban, cuchicheaban y se reían. Mis ojos vieron ya claramente en las tinieblas. Un viejo, a quien la epilepsia mató, galanteaba con ridícula mimosidad a 30 una cortesana que había muerto de la lepra; aún tenía abierta la llaga que hizo en su pecho el bisturí; un ladrón de caminos tenía horrible herida en el vientre, y abrazaba con fraternal ternura a un sacristán a quien el badajo de la colosal esquila de la Catedral abrió la cabeza, en el curso de un desaforado repique 35 de Pascua.

Entretanto yo estaba añorando la tenue caricia de mi novia ideal: la Luna. ¡Oh, la inconstante, creyéndome muerto, prodigaría en otras frentes sus besos azules, acaso en la de Karl, mi rival, que quiso arrebatármela en un juego fullero de dados!...

5 El paso de la ciudad al campo me distrajo de mis meditaciones, y fijé mi atención en mis acompañantes. Yo sé el lenguaje de los muertos, como que es el mismo de los vivos, enriquecido con los vocablos creados por los dolores y los misterios de esa vida extraña y penumbrosa que se llama Muerte. Me incorporé
10 y busqué con quien conversar. ¿Sabéis [2] a quien vi entre mis clientes? Pues... a Rob, a ese mocetón de blusa y pantalón rojo, a quien todos los estudiantes hemos conocido y con quien nos hemos emborrachado, Rob, el ayudante del verdugo titular, y que desde hace varios días dejó de concurrir a la taberna. Rob estaba
15 sin cabeza: la tenía sobre las rodillas.

Mi pobre Rob—le dije— cuéntame porqué estás aquí. El mozo puso cuidadosamente su cabeza sobre los hombros, y me miró azorado y agradecido—Oh, gracias—me respondió en voz baja—sois [3] el primero en hablarme con afecto... todos estos me
20 desdeñan por razón de mi oficio.

Y me contó su historia. Amaba a la hija de su patrón y fue calurosamente correspondido. Sucedió lo que era natural que sucediera: ella tenía mucho fuego en los ojos, él tenía mucho fuego en la sangre... Una mañana despertó su amada pálida, descom-
25 puesta, ojerosa, y sobre todo turbada el alma y llena de confusión y angustia... El verdugo titular, que amaba entrañablemente a su hija, pensó que la vergüenza y el sufrimiento de ella se debían a la información injusta que la humanidad hacía caer sobre su oficio. Le dijo que ya tenía riquezas suficientes para vestirla y
30 alhajarla como a una duquesa, que se irían a un país lejano, don-

[2] *¿Sabéis*: Do you know. The second person plural form, no longer used in ordinary speech in Spanish America, gives a stylized and archaic flavor to the character's speeches. Here he is using it to address the readers.  [3] *sois*: you are. The second person plural form, with the subject pronoun *vos* instead of *vosotros*, was also used at one time to address just one person who was considered a social equal. Here Rob is using it to address the narrator.

de algún príncipe bello y valiente se prendaría de su belleza y pediría su mano...—Padre—contestó ella, esforzándose por sonreir—ya tocó a mi puerta el príncipe gallardo que reclamó mi amor, y lo obtuvo...—¿Quién es él?—Rob—El verdugo dio un rugido de rabia, llamó a Rob y le despidió brutalmente de su ⁵ servicio.—¿Porqué me maltratáis y me despedís, patrón?—Porque eres un miserable, que has osado levantar tus ojos hasta mi hija —Pues ya es tarde, patrón: Luty es madre y vos sois abuelo. El ofendido padre cogió rápidamente el machete de gran filo que, según el protocolo penal, servía para degollar hidalgos cope- ¹⁰ tudos. Y la cabeza de Rob rodó por el suelo.

Cuando Rob terminó de referirme su historia de amor y de muerte, los demás muertos se percataron de mi presencia, y principiaron a murmurar, señalándome:—¿Quién es el que habla con el vil Rob?—La cortesana me dijo resueltamente:—Eh, ami- ¹⁵ go, ¿quién sois?⁴—Hola, Lulú, ¿no me reconocéis? Yo soy el que os sujetó de las piernas en la clínica para que se os aplicara el cauterio... Hola, Moor, ¿no os acordáis de mí, vos que pataleabais en la cama 217 en un acceso furioso de epilepsia?... Pues, sabedlo todos,⁵ ¡soy Heinrich, el estudiante, y estoy vivo!... ²⁰

Al saber que yo no estaba muerto una gran irritación se apoderó de estos. Rob mismo se puso furioso. Los ojos del viejo fulguraron mientras su boca y sus fláccidas mejillas se torcían con *tics* espasmódicos... La cortesana avanzó hacia mí con sonrisa cruel. ²⁵

—¡Pronto serás un muerto también!...— exclamó, y todos sus compañeros avanzaron con las manos erizadas para estrangularme. Sólo un muerto quedó acurrucado en un rincón del carro. Era Pierrot,⁶ el de la cara enharinada, el de los saltos mortales grotescos, el de las risotadas estúpidas en el circo, el de los chistes ³⁰ de ingenio barato, el buen Pierrot, que había muerto desnucado

---

⁴ *¿quién sois?* Who are you? See note 3. Several more of these second person plural verb forms are used in the same way in this paragraph.
⁵ *sabedlo todos*: All of you hear this. Here the second person plural verb form is being used to address more than one. See note 2.    ⁶ *Pierrot*: a typical male character in French pantomime, having a whitened face and wearing a loose fancy white costume.

en una pirueta peligrosa y mal calculada. No se movió para ofenderme: se reía como un idiota, me hacía muecas, y hacía bailar por el vértice su sombrerete cónico sobre la punta de la nariz teñida de rojo. Se reía, se reía con idiotismo inextinguible.

5 Ya me iban a estrangular, cuando se detuvo el carretón y los portalones se abrieron. Estábamos en la entrada del cementerio. En brusca inundación de luz penetraron los rayos de la Luna y besaron mi frente:—¡Oh, mi novia celestial me amaba todavía!

10 Al abrirse los portalones los muertos detuvieron su agresión y volvieron rápidamente a las posturas en que estaban. Sólo Pierrot, ese maldito Pierrot continuaba riéndose estúpidamente... Más de pronto se puso excesivamente pálido, lívido: su fisonomía se contrajo horriblemente, quiso hacerme una última mueca bur-

15 lesca, pero sólo hizo un gesto de rabia, y dos gordas lágrimas rodaron por sus mejillas, desprendiendo la harina. Comprendí: Pobre Pierrot, él también estaba enamorado de la Luna, mi amada.

Entonces me levanté y el carretero al verme de pie se desmayó de espanto.—Buenas noches, señores míos. [7]—dije a los

20 muertos, con acento burlón—¡Maldito seas!—respondieron en coro. Sólo el infeliz Pierrot, ocupado en llorar desdenes en el fondo oscuro del carro nada me dijo. Paso entre paso y en dulcísimo coloquio con mi novia ideal llegué a mi casa. Abrí la ventana de la buhardilla que desde mi lecho me permitía ver el cielo. El

25 viento me pareció que entonaba la vieja canción de las Desposadas del Rhin [8] que compusiera [9] un trovador de la lengua de *oc*. [10] El resto de la noche dormí con mi novia.

Al despertar, ya muy avanzado el día, me dolía fuertemente la cabeza y tenía en la boca un acre aliento de *absintho*.

---

[7] *señores míos*: my good fellows.   [8] *las Desposadas del Rhin*: a reference to the Rhine maidens who guarded the Rhine gold in the German medieval poem, the *Nibelungenlied*.   [9] *compusiera*: had composed. In literary and journalistic style the imperfect subjunctive sometimes replaces the past perfect tense (*había compuesto*) with the same meaning.   [10] *lengua de* oc: *langue d'oc*, or Provenzal, the Romance language of medieval southern France, a region famous then for its troubadours, who sang of courtly love and chivalry.

# Exercises

## A. Cuestionario

1. ¿Por qué asunto se había peleado Heinrich con Karl?
2. ¿Por qué conducían a Heinrich al cementerio?
3. ¿Quiénes lo acompañaban en el viaje?
4. ¿Dónde los había conocido antes Heinrich?
5. Según Heinrich, ¿por qué mereció su «novia ideal» la calificación de «inconstante»?
6. ¿Cómo es el lenguaje de los muertos?
7. ¿Cómo murió Rob, el ayudante del verdugo?
8. ¿Cómo reaccionaron todos los compañeros al saber que Heinrich no estaba muerto?
9. ¿Por qué se desmayó el carretero?
10. ¿Cómo se explica esta aventura macabra?

## B. Key Expressions

Find the place in the story where these expressions occur and learn their meaning, checking the vocabulary again, if necessary.

1. sin fortuna (151:2)
2. tambalearse (152:2)
3. transcurrir (152:5)
4. reírse (152:29)
5. las tinieblas (152:29)
6. entretanto (153:1)
7. incorporarse (153:9)
8. emborracharse (153:12)
9. desde hace...días (153:14)
10. en voz baja (153:18)
11. con afecto (153:19)
12. por razón de (153:20)
13. irse (153:30)
14. ya es tarde (154:8)
15. servir para (154:10)
16. terminar de (154:12)
17. apoderarse de (154:21)
18. ponerse + *adjective* (154:22)
19. hacer muecas (155:2)
20. de pronto (155:13)
21. estar enamorado de (155:17)
22. de pie (155:18)
23. desmayarse (155:18)
24. con acento burlón (155:20)
25. en coro (155:20)
26. dolerle + *part of body* + a uno (155:28)

## C. Verb Exercise

Using the expressions in the right-hand column, give the Spanish for the English sentences on the left.

1. *a)* When she saw him he was tottering down the street.     *tambalearse*
   *b)* He was staggering so much that I thought he was going to fall.

2. *a)* Several minutes passed, and no one spoke.     *transcurrir*
   *b)* An hour elapsed before they returned.

3. *a)* Laugh if you want, but I think it's serious.     *reírse*
   *b)* I'm sure they won't laugh if you mention it.

4. *a)* Carmen sat up suddenly and began to talk.     *incorporarse*
   *b)* If you sit up, you'll feel better.

5. *a)* He used to get drunk every Saturday night.     *emborracharse*
   *b)* It's possible that no one will get drunk.

6. *a)* The next day they seized the palace.     *apoderarse de*
   *b)* Today he'll take possession of the house.

7. *a)* Don't get so mad!     *ponerse furioso*
   *b)* When his mother finds out, she'll be furious.

8. *a)* Why was he making faces at you?     *hacer muecas*
   *b)* Who is that little boy making faces at?

9. *a)* When she saw Roberto, she fainted.     *desmayarse*
   *b)* At least twenty people passed out because of the heat.

10. *a)* My arm doesn't hurt so much anymore.     *dolerle a uno*
    *b)* His head was aching more than before.

## D. Drill on New Expressions

From the expressions on the right, select the one corresponding to the italicized English words on the left and rewrite the entire sentence in Spanish.

1. *What good is* all this money?

2. *Suddenly,* he remembered what he had done.

3. She married a *penniless* student from Córdoba.

4. «Of course I'll pay,» he said *mockingly.*

5. Julio and Patricia were talking *quietly* in the garden.

6. Monica was the only one who spoke to him *affectionately.*

7. I think they admired him *because of* his job.

8. «Happy birthday!» they all shouted *in chorus.*

9. He was *standing* near the door to the patio.

10. The lion disappeared into *the darkness.*

sin fortuna
las tinieblas
en voz baja
con afecto
por razón de
servir para
de pronto
de pie
con acento burlón
en coro

Jorge Luis Borges

# LAS RUINAS CIRCULARES

# Borges's Fantastic Adventure of the Mind

*Most of the stories of Jorge Luis Borges (see biographical note, p. 2) deal more with intellectual ideas and metaphysical concepts than with ordinary adventures of common people. Love, hate, fear, and jealousy are typically not presented as passions. When they do figure in Borges's narratives they are made to seem more like impersonal qualities of mankind than those of any one individual. Consider, for example, the scope of the mockery and revenge in «Los dos reyes y los dos laberintos.»*

*In «Las ruinas circulares» we have a magical adventure of the mind which, in the end, is revealed as being «alleviatingly, terrifyingly, humiliatingly» even less personal and individual than it might at first have appeared to the reader. In a sense, the story destroys the familiar concept of human identity and offers, as do many of Borges's tales, an image of the universe and of mankind that is derived from a specific philosophical concept.*

*The prose style of Borges is one of the most widely admired of any author writing in the Spanish language today. The recipient of many important prizes and honors, he has been a strong candidate for the Nobel Prize for Literature.*

# Las ruinas circulares

*And if he left off dreaming about you...*
Through the Looking-Glass, VI.

Nadie lo vio desembarcar en la unánime noche, nadie vio la
canoa de bambú sumiéndose en el fango sagrado, pero a los pocos
días nadie ignoraba que el hombre taciturno venía del Sur y que
su patria era una de las infinitas aldeas que están aguas arriba,
5 en el flanco violento de la montaña, donde el idioma zend [1] no
está contaminado de griego y donde es infrecuente la lepra. Lo

---

[1] *zend*: a form of Persian used to translate and explain the Avesta, the
Bible of the Zoroastrian religion of ancient Persia. One important element
of this religion was the use of fire to symbolize man's divinity. This
reference is an example of the author's frequent use of exotic and sometimes erudite and obscure allusions, not only to create atmosphere for
the story, but also to lead the reader one more step onward through the
literary «labyrinth» he is constructing.

cierto es que el hombre gris besó el fango, repechó la ribera sin apartar (probablemente, sin sentir) las cortaderas que le dilaceraban las carnes y se arrastró, mareado y ensangrentado, hasta el recinto circular que corona un tigre o caballo de piedra, que tuvo alguna vez el color del fuego y ahora el de la ceniza. Ese redondel es un templo que devoraron los incendios antiguos, que la selva palúdica ha profanado y cuyo dios no recibe honor de los hombres. El forastero se tendió bajo el pedestal. Lo despertó el sol alto. Comprobó sin asombro que las heridas habían cicatrizado; cerró los ojos pálidos y durmió, no por flaqueza de la carne sino por determinación de la voluntad. Sabía que ese templo era el lugar que requería su invencible propósito; sabía que los árboles incesantes no habían logrado estrangular, río abajo, las ruinas de otro templo propicio, también de dioses incendiados y muertos; sabía que su inmediata obligación era el sueño. Hacia la medianoche lo despertó el grito inconsolable de un pájaro. Rastros de pies descalzos, unos higos y un cántaro le advirtieron que los hombres de la región habían espiado con respeto su sueño y solicitaban su amparo o temían su magia. Sintió el frío del miedo y buscó en la muralla dilapidada un nicho sepulcral y se tapó con hojas desconocidas.

El propósito que lo guiaba no era imposible, aunque sí sobrenatural. Quería soñar un hombre: quería soñarlo con integridad minuciosa e imponerlo a la realidad. Ese proyecto mágico había agotado el espacio entero de su alma; si alguien le hubiera preguntado su propio nombre o cualquier rasgo de su vida anterior, no habría acertado a responder. Le convenía el templo inhabitado y despedazado, [2] porque era un mínimo de mundo visible; la cercanía de los labradores también, porque éstos se encargaban de subvenir a sus necesidades frugales. El arroz y las frutas de su tributo eran pábulo suficiente para su cuerpo, consagrado a la única tarea de dormir y soñar.

Al principio, los sueños eran caóticos; poco después, fueron de naturaleza dialéctica. El forastero se soñaba en el centro de un

---

[2] *Le... despedazado*: The uninhabited and ruined temple was suitable for his purpose.

anfiteatro circular que era de algún modo el templo incendiado: nubes de alumnos taciturnos fatigaban las gradas; las caras de los últimos pendían a muchos siglos de distancia y a una altura estelar, pero eran del todo precisas. El hombre les dictaba lec-
5 ciones de anatomía, de cosmografía, de magia: los rostros escuchaban con ansiedad y procuraban responder con entendimiento, como si adivinaran la importancia de aquel examen, que redimiría a uno de ellos de su condición de vana apariencia y lo interpolaría en el mundo real. El hombre, en el sueño y en la vigilia, conside-
10 raba las respuestas de sus fantasmas, no se dejaba embaucar por los impostores, adivinaba en ciertas perplejidades una inteligencia creciente. Buscaba un alma que mereciera participar en el universo.

A las nueve o diez noches comprendió con alguna amargura que nada podía esperar de aquellos alumnos que aceptaban con
15 pasividad su doctrina y sí de aquellos que arriesgaban, a veces, una contradicción razonable. Los primeros, aunque dignos de amor y de buen afecto, no podían ascender a individuos; los últimos preexistían un poco más. Una tarde (ahora también las tardes eran tributarias del sueño, ahora no velaba sino un par de horas en
20 el amanecer) licenció para siempre el vasto colegio ilusorio y se quedó con un solo alumno. Era un muchacho taciturno, cetrino, díscolo a veces, de rasgos afilados que repetían los de su soñador. No lo desconcertó por mucho tiempo la brusca eliminación de los condiscípulos; su progreso, al cabo de unas pocas lecciones
25 particulares, [3] pudo maravillar al maestro. Sin embargo, la catástrofe sobrevino. El hombre, un día, emergió del sueño como de un desierto viscoso, miró la vana luz de la tarde que al pronto confundió con la aurora y comprendió que no había soñado. Toda esa noche y todo el día, la intolerable lucidez del insomnio se
30 abatió contra él. Quiso explorar la selva, extenuarse; apenas alcanzó entre la cicuta unas rachas de sueño débil, veteadas fugazmente de visiones de tipo rudimental: inservibles. Quiso congregar el colegio y apenas hubo articulado unas breves palabras de exhortación, éste se deformó, se borró. En la casi perpetua
35 vigilia, lágrimas de ira le quemaban los viejos ojos.

[3] *lecciones particulares*: private lessons.

Comprendió que el empeño de modelar la materia incoherente y vertiginosa de que se componen los sueños es el más arduo que puede acometer un varón, aunque penetre todos los enigmas del orden superior y del inferior: mucho más arduo que tejer una cuerda de arena o que amonedar el viento sin cara. Comprendió 5 que un fracaso inicial era inevitable. Juró olvidar la enorme alucinación que lo había desviado al principio y buscó otro método de trabajo. Antes de ejercitarlo, dedicó un mes a la reposición de las fuerzas que había malgastado el delirio. Abandonó toda premeditación de soñar y casi acto continuo [4] logró dormir un trecho 10 razonable del día. Las raras veces que soñó durante ese período, no reparó en los sueños. Para reanudar la tarea, esperó que el disco de la luna fuera perfecto. Luego, en la tarde, se purificó en las aguas del río, adoró los dioses planetarios, pronunció las sílabas lícitas de un nombre poderoso y durmió. Casi inmediata- 15 mente, soñó con un corazón que latía.

Lo soñó activo, caluroso, secreto, del grandor de un puño cerrado, color granate en la penumbra de un cuerpo humano aun sin cara ni sexo; con minucioso amor lo soñó, durante catorce lúcidas noches. Cada noche, lo percibía con mayor evidencia. No 20 lo tocaba: se limitaba a atestiguarlo, a observarlo, tal vez a corregirlo con la mirada. Lo percibía, lo vivía, desde muchas distancias y muchos ángulos. La noche catorcena rozó la arteria pulmonar con el índice y luego todo el corazón, desde afuera y adentro. El examen lo satisfizo. Deliberadamente no soñó durante 25 una noche: luego retomó el corazón, invocó el nombre de un planeta y emprendió la visión de otro de los órganos principales. Antes de un año llegó al esqueleto, a los párpados. El pelo innumerable fue tal vez la tarea más difícil. Soñó un hombre íntegro, un mancebo, pero éste no se incorporaba ni hablaba ni podía abrir 30 los ojos. Noche tras noche, el hombre lo soñaba dormido.

[4] *acto continuo*: immediately afterward.

En las cosmogonías gnósticas, [5] los demiurgos [6] amasan un rojo Adán que no logra ponerse de pie; tan inhábil y rudo y elemental como ese Adán de polvo era el Adán de sueño que las noches del mago habían fabricado. Una tarde, el hombre casi
5 destruyó toda su obra, pero se arrepintió. (Más le hubiera valido destruirla. [7]) Agotados los votos a los númenes de la tierra y del río, se arrojó a los pies de la efigie que tal vez era un tigre y tal vez un potro, e imploró su desconocido socorro. Ese crepúsculo, soñó con la estatua. La soñó viva, trémula: no era un atroz bas-
10 tardo de tigre y potro, sino a la vez esas dos criaturas vehementes y también un toro, una rosa, una tempestad. Ese múltiple dios le reveló que su nombre terrenal era Fuego, que en ese templo circular (y en otros iguales) le habían rendido sacrificios y culto y que mágicamente animaría al fantasma soñado, de suerte que [8]
15 todas las criaturas, excepto el Fuego mismo y el soñador, lo pensaran un hombre de carne y hueso. [9] Le ordenó que una vez instruido en los ritos, lo enviara al otro templo despedazado cuyas pirámides persisten aguas abajo, para que alguna voz lo glorificara en aquel edificio desierto. En el sueño del hombre que soñaba, el
20 soñado se despertó.

El mago ejecutó esas órdenes. Consagró un plazo (que finalmente abarcó dos años) a descubrirle los arcanos del universo y del culto del fuego. Íntimamente, le dolía apartarse de él. Con el pretexto de la necesidad pedagógica, dilataba cada día las horas
25 dedicadas al sueño. También rehizo el hombro derecho, acaso deficiente. A veces, lo inquietaba una impresión de que ya todo eso había acontecido... En general, sus días eran felices; al cerrar los ojos pensaba: *Ahora estaré con mi hijo*. O, más raramente: *El hijo que he engendrado me espera y no existirá si no voy.*

[5] *las cosmogonías gnósticas*: the Gnostic theories of the genesis of the universe. The Gnostics were early Christians who claimed to have superior knowledge of spiritual things and the nature and attributes of God.
[6] *los demiurgos*: the demiurges, who in Gnostic belief were supernatural beings imagined as having created or fashioned the world in subordination to the Supreme Being and who were sometimes regarded as the originators of evil. [7] *Más... destruirla*: He would have been better off if he had destroyed it. [8] *de suerte que*: so that. [9] *un... hueso*: a man of flesh and blood («bone» in Spanish).

Gradualmente, lo fue acostumbrando a la realidad. Una vez le ordenó que embanderara una cumbre lejana. Al otro día, flameaba la bandera en la cumbre. Ensayó otros experimentos análogos, cada vez más audaces. Comprendió con cierta amargura que su hijo estaba listo para nacer —y tal vez impaciente. Esa noche lo 5 besó por primera vez y lo envió al otro templo cuyos despojos blanquean río abajo, a muchas leguas de inextricable selva y de ciénaga. Antes (para que no supiera nunca que era un fantasma, para que se creyera un hombre como los otros) le infundió el olvido total de sus años de aprendizaje. 10

Su victoria y su paz quedaron empañadas de hastío. En los crepúsculos de la tarde y del alba, se prosternaba ante la figura de piedra, tal vez imaginando que su hijo irreal ejecutaba idénticos ritos, en otras ruinas circulares, aguas abajo; de noche no soñaba, o soñaba como lo hacen todos los hombres. Percibía con cierta pali- 15 dez los sonidos y formas del universo: el hijo ausente se nutría de esas disminuciones de su alma. [10] El propósito de su vida estaba colmado; el hombre persistió en una suerte de éxtasis. Al cabo de un tiempo que ciertos narradores de su historia prefieren computar en años y otros en lustros, [11] lo despertaron dos remeros a media- 20 noche: no pudo ver sus caras, pero le hablaron de un hombre mágico en un templo del Norte, capaz de hollar el fuego y de no quemarse. El mago recordó bruscamente las palabras del dios. Recordó que de todas las criaturas que componen el orbe, el fuego era la única que sabía que su hijo era un fantasma. Ese recuerdo, 25 apaciguador al principio, acabó por atormentarlo. Temió que su hijo meditara en ese privilegio anormal y descubriera de algún modo su condición de mero simulacro. No ser un hombre, ser la proyección del sueño de otro hombre ¡qué humillación incomparable, qué vértigo! A todo padre le interesan los hijos que ha 30 procreado (que ha permitido) en una mera confusión o felicidad; es natural que el mago temiera por el porvenir de aquel hijo,

---

[10] *el hijo... alma*: the absent son was being nourished by what was being taken away from his (the stranger's) soul.   [11] *lustros*: periods of five years (used in the Roman empire).

pensado entraña por entraña [12] y rasgo por rasgo, en mil y una noches secretas.

El término de sus cavilaciones fue brusco, pero lo prometieron algunos signos. Primero (al cabo de una larga sequía) una
5 remota nube en un cerro, liviana como un pájaro; luego, hacia el Sur, el cielo que tenía el color rosado de la encía de los leopardos; luego las humaredas que herrumbraron el metal de las noches; después la fuga pánica de las bestias. Porque se repitió lo acontecido hace muchos siglos. Las ruinas del santuario del dios del fuego
10 fueron destruidas por el fuego. En un alba sin pájaros el mago vio cernirse contra los muros el incendio concéntrico. Por un instante, pensó refugiarse en las aguas, pero luego comprendió que la muerte venía a coronar su vejez y a absolverlo de sus trabajos. Caminó contra los jirones de fuego. Éstos no mordieron su carne,
15 éstos lo acariciaron y lo inundaron sin calor y sin combustión. Con alivio, con humillación, con terror, comprendió que él también era una apariencia, que otro estaba soñándolo.

# Exercises

## A.  Cuestionario

1. ¿De dónde había venido el hombre que desembarcó en la noche?
2. ¿Qué se vio obligado a hacer inmediatamente?
3. ¿Cómo supo, al despertarse, que otros hombres lo habían espiado?

---

[12] *entraña por entraña*: although *entraña* literally means «entrail» or «intestine» in Spanish, it is used with strong emotional connotation to express deep affection or love. This concept is rendered in English with such expressions as «bosom pal», «lifelong friend», the «apple of his eye», «her darling son», etc.

4. ¿Cuál fue el propósito de este hombre?
5. ¿Qué recordó el hombre de su pasado? ¿Por qué?
6. ¿Qué hacía en sus primeros sueños?
7. ¿Ahora dormía todo el tiempo?
8. ¿Cómo era el último alumno que le quedó al hombre?
9. ¿Qué es más difícil que tejer que una cuerda de arena?
10. ¿Cuánto tiempo tardó en llegar a la creación del esqueleto?
11. Finalmente, ¿a qué dios imploró socorro?
12. ¿A dónde mandó después al soñado «hombre de carne y hueso»?
13. ¿Qué idea lo inquietaba a veces al soñador?
14. Según lo que le dijeron al hombre los remeros una noche, ¿qué extraña capacidad tenía su hijo soñado?
15. ¿De qué se dio cuenta el hombre al final?

## B. Key Expressions

Find the place in the story where these expressions occur and learn their meaning, checking the vocabulary again, if necessary.

1. a los pocos días (meses, etc.) (161:2)
2. aguas arriba (161:4)
3. lo cierto (161:6)
4. arrastrarse (162:3)
5. alguna vez (162:5)
6. lograr + *infinitive* (162:13)
7. hacia (162:15)
8. advertir (162:17)
9. tapar (162:20)
10. agotar (162:25)
11. anterior (162:26)
12. acertar a + *infinitive* (162:27)
13. convenir (162:27)
14. encargarse de (162:29)
15. sobrevenir (163:26)
16. acto continuo (164:10)
17. reparar en (164:12)
18. soñar con (164:16)
19. ponerse de pie (165:2)
20. arrepentirse (165:5)
21. más vale (165:5)
22. arrojarse (165:7)
23. socorro (165:8)
24. a la vez (165:10)
25. cada vez más (166:4)
26. recordar (166:24)
27. acabar por + *infinitive* (166:26)
28. de algún modo (166:27)
29. interesar (166:30)
30. al cabo de (167:4)
31. luego (167:5)
32. pensar + *infinitive* (167:12)

## C. Verb Exercise

Using the verbs in the right-hand column, give the Spanish for the English sentences on the left.

1. *a)* The tiger was crawling slowly along the sand.        *arrastrarse*
   *b)* The old man dragged himself to the river bank.

2. *a)* She covered her eyes with her hands.        *tapar*
   *b)* Why don't you cover the canoe over with leaves?

3. *a)* At ten o'clock in the morning he had exhausted his forces.        *agotar*
   *b)* Is the water all used up?

4. *a)* Would a five-room house suit you?        *convenir*
   *b)* It's not proper for you to say such things.

5. *a)* What occurred then was horrible.        *sobrevenir*
   *b)* It was then that the most interesting thing had happened.

6. *a)* Haven't you noticed his brand new suit?        *reparar en*
   *b)* I'd like you to observe all the details.

7. *a)* When Doña Leonor entered, they all stood up.        *ponerse de pie*
   *b)* They want us to stand up now.

8. *a)* Finally, they all repented.        *arrepentirse*
   *b)* I hope you don't regret this.

9. *a)* I don't think he remembered that we had already met.        *recordar*
   *b)* Ah yes, now I remember!

10. *a)* They ended up staying on the island.        *acabar por*
    *b)* You'll end up losing.

## D. Drill on New Expressions

From the expressions on the right, select the one corresponding to the italicized English words on the left and rewrite the entire sentence in Spanish.

1. His letters seemed *more and more* interesting to her.

2. No one knew anything about her *former* life.

3. *After* three months in the jungle, he was another man.

4. «*Help!*» he called from the roof.

a los pocos días
aguas arriba
lo cierto
alguna vez
hacia
anterior
acto continuo
socorro
cada vez más
al cabo de

5. He stretched out on the bed and *immediately* fell asleep.

6. *What is definite* is that he'll always have friends here.

7. *A few days later*, he was ready to take the trip.

8. They said he came from some village *upstream*.

9. The company was established *around* 1910.

10. I think that Fernando's father worked *at one time* for Mr. Ruiz.

## E. Review Exercise

The following past participles which appeared in «Las ruinas circulares» are «guessable.» You should have been able to grasp their meaning without consulting the vocabulary and should be able to recognize them now on sight:

| | | | |
|---|---|---|---|
| incendiado | consagrado | imaginado | desconocido |
| dilapidado | malgastado | acontecido | afiliado |
| despedazado | engendrado | destruido | ensangrentado |

The past participle of a verb may generally also serve as a noun. What translation would you give for the last three participles on the above list, if they appeared as nouns?

The following verbs from this story are similarly guessable:

| | | | |
|---|---|---|---|
| desembocar | requerir | congregar | estrangular |
| devorar | espiar | modelar | encargar |
| profanar | percibir | glorificar | atormentar |

What translation would you give for the past participle of the last three, if they appeared as nouns?

# VOCABULARIO

# VOCABULARIO

The following types of words have been omitted from this vocabulary: (a) exact or easily recognizable cognates; (b) well-known proper and geographical names; (c) proper nouns and cultural, historical, and geographical items explained in footnotes; (d) some uncommon idioms and constructions explained in footnotes; and (e) all forms that an average student of intermediate Spanish would be expected to know.

The gender of nouns is not listed in the case of masculine nouns ending in -o and feminine nouns ending in -a, -dad, -ez, -ión, -tad, and -tud. A few irregular plurals, such as **veces,** are listed both as singular and plural. Most idioms and expressions are listed under their two most important words. Radical changes in verb conjugations are indicated thus: **(ue), (ie, i),** etc. Prepositional usage is given in parentheses after verbs.

Many of the above criteria were not applied in an absolute fashion. Whenever we doubted that an average intermediate student would understand a particular term, we included it.

## ABBREVIATIONS

| | | | |
|---|---|---|---|
| *adj.* | adjective | *m.* | masculine |
| *adv.* | adverb | *Mex.* | Mexican |
| *arch.* | archaic | *n.* | noun |
| *Arg.* | Argentine | *p. p.* | past participle |
| *aux.* | auxiliary | *pers.* | person |
| *coll.* | colloquial | *pl.* | plural |
| *dim.* | diminutive | *pr.* | present |
| *e. g.* | for example | *prep.* | preposition |
| *expl.* | expletive | *pret.* | preterite |
| *f.* | feminine | *sing.* | singular |
| *imp.* | imperative | *subj.* | subjunctive |
| *inf.* | infinitive | *sup.* | superlative |
| *intrans.* | intransitive | *trans.* | transitive |
| *Lat.* | Latin | *v.* | verb |

# A

**abajo** down, under, below; **para —** downward; **río—** down the river; **de arriba —** up and down, from top to bottom, from head to foot

**abalanzarse** to rush

**abanicar** to fan

**abatirse** to fight; to dishearten

**abeja** bee

**abierto** *p. p. of* **abrir**

**abismo** abyss

**abordaje** *m.* getting on, boarding (*a train*)

**abordar** to get on, board (*a train*)

**aborrecer** to hate

**abrasar** to burn

**abrazar** to embrace

**abrigo** shelter, cover, blanket

**abrir** to open

**abstraído** absorbed

**acá** here, over here, this way

**acabar** to finish, end; **— de +** *inf.* to have just **+** *p. p.*; **—** (*in pret.*) **de +** *inf.* to finish **+** *gerund* (*e. g.* **acabó de escribir** he finished writing); **— por** to finish (end) up by

**acariciar** to cherish; to caress, pet, fondle

**acaso** maybe, perhaps; **por si —** just in case

**acceder** to agree, consent

**acceso** attack

**acerca de** about, with regard to

**acercarse (a)** to approach, go up (to)

**acero** steel

**acertar (ie) a** to happen to, chance to; to succeed in

**acólito** assistant

**acometer** to attack, come on; to undertake

**acomodar** to place, arrange; **—se** to settle oneself, settle down

**acompañante** *m.* companion

**acompasado** measured, rhythmic

**acongojado** afflicted, grieved

**aconitina** aconitine (*a poison made from the roots of certain plants*)

**aconsejar** to advise

**acontecer** to happen

**acontecimiento** event, happening

**acordarse (ue) (de)** to remember

**acorrer** to help, aid

**acostarse (ue)** to lie down, go to bed

**acostumbrarse (a)** to get used to

**acre** sour

**actitud** look, position, attitude

**acto: — continuo** immediately afterward

**actual** present, present-day

**acudir** to come, appear, run up; to come to the rescue; to hurry

**acuerdo** agreement, accord; **de — a** in accordance with, according to; **de —** agreed, in agreement; **ponerse de —** to come to an agreement

**acurrucado** huddled

**adecuado** adequate

**adelantar** to advance; **— se (a)** to excel, outdo; to take the lead, get ahead (of)

**adelante** forward, onward, ahead; **de hoy en —** from today on

**ademán** *m.* gesture

**además (de)** besides

**adentro** inward, inside

**adherido** pressed, held against

**adinerado** well-to-do, wealthy

**adivinar** to guess, figure out, divine

**admirable** excellent, admirable

**adornado** decorated

**adosado** stuck, fastened

**adueñarse de** to take possession of

**adusto** stern, sullen

**advenimiento** advent, arrival, coming

**advertir (ie, i)** to notify, warn, inform; to notice, observe

**aéreos: jardines —** roof gardens

**aeronauta** *m.* pilot, one who flies

**afán** *m.* eagerness
**afanosamente** laboriously, painstakingly
**afecto** fondness, affection
**afilado** sharp
**afirmar** to assert
**afónico** mute
**afrentado** insulted, ashamed
**afrontar** to face, put up with
**agacharse** to crouch, bend down
**agarrado** holding on
**agiotista** *m.* moneylender
**agitar** to wave, agitate; — **se** to move about
**agonizar** to die slowly
**agotado** exhausted, worn out
**agotarse** to be exhausted, run out
**agradecer** to thank, be grateful for
**agradecido** grateful
**agradecimiento** gratitude
**agregar** to add
**agua:** —**s arriba** upstream
**aguantar** to endure, bear, suffer, stand; to wait
**aguardar** to wait for
**agudo** sharp
**ahora:** — **bien** now then; — **mismo** right now
**ahorro** saving
**aire:** **al** — **libre** outside
**aislar** to isolate, put apart
**ajedrez** *m.* chess
**ajenjo** absinthe
**al:** — + *inf.* on, upon + *gerund* (*e. g.* **al levantarse** upon getting up)
**ala** wing
**alabado** praised
**alacrán** *m.* scorpion
**alardear** to boast
**alargado** slender
**alargar** to extend, draw out
**alarido** howl, scream, cry
**alarmante,** alarming
**alba** dawn
**alcaide** *m.* special guard
**alcance** *m.* reach

**alcanzar** to reach, gain; — **a** to succeed in
**aldea** village
**alegrar** to make happy, gladden; —**se** (**de**) to be happy, glad (about)
**alegre** happy, joyful
**alegría** happiness, joy
**alejarse** (**de**) to leave, go (move, draw) away, walk off
**alelado** stupified
**alentar** (**ie**) to encourage
**alféizar** *m.* window frame
**algazara** din, clamor
**algo** something, somewhat; **servir de** — to do any good
**alguno** (**algún**) some, any; —**a parte** somewhere
**alhaja** gem, precious ornament, article of great value
**alhajar** to adorn
**alharaca** clamor
**aliado** allied
**aliento** breath; **sin** — breathless
**alimentar** (**ie**) to feed
**alimento** food
**alirroto** broken-winged
**aliviado** relieved
**alivio** relief
**alma** soul, "heart"
**almohada** pillow
**alojamiento** lodging, room
**alojarse** to stay, take lodging
**alquilar** to rent
**alrededor** (**de**) around; *pl.* surroundings
**alteración** unevenness
**alto** high, tall; loud
**altoparlante** *m.* loudspeaker, megaphone
**altura** height
**alucinación** hallucination
**alumbrar** to light
**alvéolo** cell, compartment
**alzar** to lift, raise
**allá** there; — **arriba** up there; **más** — farther on; **más** — **de** beyond

**amablemente** amiably, in a kindly manner
**amamantar** to nurse (*as with an infant*)
**amanecer** *m. n.* dawn; *v.* to dawn
**amar** to love
**amargo** bitter
**amargura** bitterness
**amarillento** yellowish
**amarillo** yellow
**amarrar** to tie, fasten
**ambicionar** to aspire to, seek
**ambos** both
**amenazar** to thréaten
**americano** this usually refers to Latin American or Spanish American. "American" is **norteamericano**
**amistad** friendship
**amoldar** to mold, fashion, figure
**amonedar** to coin, mold, fashion
**amonestador** admonishing, reproving
**amor** *m.* love
**amoratado** livid
**amortiguado** muffled
**amotinado** in a mob, milling about
**amparo** protection
**anales** *m. pl.* annals
**analfabeto** illiterate
**anciano** old, ancient
**anclar** to anchor
**andar** to walk, go; **con el — del tiempo** with the passing of time
**andén** *m.* platform (*in a railroad station*)
**ángulo** angle
**angustia** anguish
**anidar** to nest
**animarse** (a) to get up the energy (to); to have the courage (to)
**ánimo** courage, fortitude, strength; mind, spirit; ¡**buen —**! cheer up!
**aniquilado** crushed
**anochecer** *m.* nightfall
**anonadado** annihilated, crushed
**anotación** note

**anotar** to note, jot down
**ansia** anxiety, eagerness; **con —s de** anxious to
**ansiado** anxious
**ansiedad** anxiety
**ansioso** anxious
**antes: cuanto —** without delay, as soon as possible, immediately
**antojo** fancy, whim
**anular** to eliminate
**añadir** to add
**añorar** to reminisce
**apacible** peaceful
**apaciguador** comforting, pacifying
**apaciguar** to soften, soothe, pacify, calm
**apagar** to turn out; **—se** to go out, die out
**aparecer** to appear, show up
**aparentar** (ie) to feign, pretend
**apariencia** illusion, appearance
**apartado** isolated, retired
**apartar** to spread, separate, push away; **—se** to move away (back)
**aparte** aside
**apenas** scarcely, barely, hardly; just as
**aplastado** stuck; flattened, crushed
**aplastar** to crush, smash
**aplaudidor** *m.* admirer, applauder
**apoderarse de** to overcome, take possession of, seize
**apoltronado** lounging
**apoyar** to support, lean
**apoyo** support
**aprehendido** arrested
**aprendizaje** *m.* apprenticeship
**apresurarse** to hurry
**apretar** (ie) to press, squeeze, pinch, grasp
**aprobar** (ue) to approve
**aprontarse** to prepare
**aprovechar** to take advantage of, make use of
**aproximarse** to approach
**apunte** *m.* note
**apuro** difficulty, "tight spot"

aquél the former
araña spider
arcano secret, mystery
arder to burn (*intrans.*)
ardiente *adj.* burning
ardor *m.* burning
arena sand
arengar to harangue, deliver a speech to
armadura armor
armonía melody, harmony
armonioso, melodious, harmonious
árnica arnica (*a solution used for sprains and bruises*)
arraigado deep-rooted, fixed
arrancar to draw (pull, tear) out (off)
arrastrar to drag, pull; —se to drag, crawl, creep
arre giddiyap
arrebatar to snatch away
arrebato fit
arreglar to arrange
arremangar to roll up (*sleeves*)
arriba up, upward; aguas — upstream; allá — up there; de — abajo up and down, from top to bottom, from head to foot; para — upward; río — up the river
arriesgar to risk
arrinconado cornered
arrodillarse to kneel
arrojar to throw
arroyito *dim. of* arroyo stream
arroyuelo *dim. of* arroyo
arroz *m.* rice
arruga wrinkle
arrugado wrinkled
arrullar to lull
articular to utter
artificiales: fuegos — fireworks
asar to roast
ascensor *m.* elevator
ascua hot coal
asegurar to assure
asserrín *m.* sawdust
asesino murderer

asestar to deal, strike (*a blow*)
así thus, like this, this (that) way
asiento seat; tomar — to be seated
asirse (a) to hold on (to), grab, grasp
asistir a to attend
asomarse (a) to peek at; to look out (of), appear (at)
asombrar to astonish, amaze
asombro astonishment, amazement
aspecto look
áspero rough, hoarse
asunto matter, affair
asustar to frighten
atajar to cut off (short)
atar to tie
atender (ie) to take care of, tend to, pay attention to; to answer (*door or telephone*)
aterrado terrified
aterrizar to land
aterrorizado terrified
atestiguar to witness, attest
atinar (a) to succeed (in)
atónito astonished
atracado moored
atraer to pull back
atrás back, backward
atravesar (ie) to cross
atreverse (a) to dare (to)
atril *m.* music stand
atronar (ue) to boom, play deafeningly
atroz atrocious
augusto magnificent, august
aullar to howl
aumentar to increase
auricular *m.* receiver (*of telephone*)
ausencia absence
ausente absent
auxiliado helped, aided
auxilio help, aid
avance *m.* advance
avanzar to move forward, advance
avaro greedy
ave *f.* bird

avenida avenue; **Avenida de Mayo** *a principal street in Buenos Aires*
**aventajado** favored, endowed
**aventurarse (a)** to risk, take a chance on
**avergonzarse (ue)** to be ashamed
**averiguar** to ascertain, verify
**averiado** damaged, in bad condition
**avión** *m.* airplane
**avisar** to inform
**ayudante** assistant
**azar** *m.* chance, luck, fate
**azorado** terrified, frightened
**azotar** to lash, whip
**azucena** white lily
**azulado** bluish

**B**

**badajo** clapper of a bell
**bailarina** dancer
**bajar** to come (go) down
**bajo** under
**bala** bullet
**baladí** trivial
**balanza** scales (*for weighing*)
**balbucear** to babble, stammer
**balde: en —** in vain
**baldosa** sidewalk stone
**bandada** flock
**baño** bath
**barato** cheap
**barba** beard
**barco** boat
**barrer** to sweep
**barriga** belly
**barro** mud
**barrote** *m.* rung, bar
**bastar** to be enough, suffice; ¡**basta!** enough!
**bastón** *m.* cane
**batón** *m.* dressing gown, housecoat
**beato** devout, pious
**belleza** beauty
**bendición** blessing

**bendito** blessed person; **dormir como un —** to sleep like a baby
**bengala: luces de —** Roman candles (*fireworks*)
**bermejo** vermillion
**besar** to kiss
**beso** kiss
**bestia** beast
**bicho** bug, insect
**bien** well, good, fine, O.K.; **ahora — now then; de —** honest; **más — rather, more; pues —** well then; **tener a —** to see fit; *m. n.* good, benefit; "**No hay mal que por — no venga**" "Everything turns out for the best," "Every cloud has a silver lining"; **— mirado** carefully considered
**bienaventuranza** bliss
**bigote** *m.* whisker
**billete** *m.* bill (*money*)
**bioquímica** biochemistry
**bisturí** *m.* surgical knife
**blando** soft
**blanqueado** white-washed
**blanquear** to whiten
**bloqueado** blocked (off)
**boca** mouth
**bocado** bite, mouthful
**bocanada** whiff, breath, gasp; puff of smoke
**boga** style, vogue; **en —** popular
**bola** ball
**boleto** ticket
**boliche** *m.* little store
**bolsillo** pocket
**bolsita** *dim. of* **bolsa** bag
**bombón** *m.* candy, sweetstuff, "honey"
**bondad** kindness
**boquilla** *dim. of* **boca**
**borde** *m.* edge
**bordo: a — de** aboard
**borrachera** drunkenness
**borracho** drunk, drunken
**borrar** to erase, remove
**bosque** *m.* woods

**bota** boat
**bote** *m.* bounce, rebound
**botella** bottle
**botica** medicine; shop
**bravo** wild, savage
**brazo** arm
**brea** tar
**brillante** *m.* diamond
**brillar** to shine, gleam
**brillo** gleam
**brincar** to caper, frisk
**brinco** leap, jump; **dar un —** to jump, take a jump; **de un —** with a leap; **pegar un —** to jump
**brisa** breeze
**bromear** to jest
**bronco** solid, hard, rough
**brujo** sorcerer, wizard
**brusco** sudden, abrupt
**buche** *m.* craw (*of a bird*)
**bueno: de una —a vez** once and for all
**buhardilla** garret
**buhonero** peddler
**bulto** bundle
**bullicio** uproar
**bullicioso** noisy, bustling
**burbuja** bubble
**burla** scorn, jest, mockery; **hacer — de** to mock
**burlarse (de)** to make fun of, mock, scorn
**burlesco** ludicrous
**burlón** mocking
**busca** search
**buscar** to look for, seek, search
**butaca** easy chair
**buzo** diver

# C

**cabal: a carta —** through and through, in every respect
**cabalgar** to ride on horseback
**cabello** hair, lock
**caber** to fit, be contained
**cabestro** halter

**cabezal** *m.* small pillow
**cabo** end; **al fin y al —** after all
**cabrita** kid (*goat*)
**cachorro** cub; young of wild animals
**cada** each, every **— vez más** more and more
**cadáver** *m.* body, corpse
**caer** to fall; **dejar —** to drop; **—se** to fall down
**caja** box, case; main part of telephone
**cajero** cashier
**cajón** *m.* drawer
**calafate** *m.* calking
**calafatear** to calk
**calavera** skull
**calcular** to figure, estimate
**cálido** hot
**cáliz** *m.* center of a flower (*within the petals*)
**calorcillo** extreme heat
**caluroso** hot, warm
**calvo** bald
**calza** cord, fetter (*used on animals*)
**calzado** foot-wear; **— con** wearing (*on one's feet*)
**callado** silent
**calleja** side street, alley
**callejón** *m.* alley
**callejuela** narrow street
**cama** bed
**camarada** *m.* comrade
**camarero** waiter
**cambiar** to change, exchange
**cambio** change; **a — de** in exchange for; **en —** on the other hand, on the contrary
**camello** camel
**caminar** to walk, go, travel
**camino** way, road; trip, journey; **— de** on the road to, in the direction of
**campanada** ring of a bell
**campanilla** *dim. of* **campana** bell
**campanita** *dim. of* **campana** bell
**canal** *m.* channel
**canción** song

canoso gray-haired
cansancio fatigue
cántaro pitcher
cantidad quantity
canto song, chant
caña reed, cane
cañaveral cane field
caño pipe
capa layer, coating, covering
capacitar to prepare, qualify
capataz: — de servicio headwaiter
capaz capable
capilla chapel; vagón — ardiente funeral chapel car
capital m. money, capital
capricho caprice
cara face
carcajada burst of laughter
cárcel f. jail, prison
cárdeno livid
cardíaco adj. heart
cardo thistle
carecer de to lack
cargar to carry, transport; — (de) to load, burden (with)
cargo: a — de in charge of
caricia caress
cariño affection, fondness
cariñoso affectionate, fond
caritativo charitable
carne f. flesh, meat; —s flesh
carnicero n. butcher; adj. bloodthirsty, carniverous
caro dear
carrera course; career; race
carretero driver (of a cart)
carretilla wheelbarrow
carretón wagon, cart
carroza carriage, coach
carta: a — cabal through and through, in every respect
casarse (con) to marry, get married (to)
caserón m. house
casilla cage, booth
caso incident, fact, case; darse el — to happen
casta breed

castellano Castilian
castillo castle
casualidad chance, chance event
casualmente by chance
catarata waterfall, cataract
caudal m. fortune, wealth
caudaloso of great volume, carrying a lot of water
causa: a — de because of
cauterio cautery (a hot iron used to destroy tissue)
cautivador captivating, charming
cautivo captive
cavilación penetrating, detailed thought; calculation
cazador adj. hunting
cazar to hunt
ceder to yield, give (up)
cedro cedar
ceja eyebrow
celda cell
celeste celestial, heavenly
cena supper
cenar to eat supper
ceniciento ash-colored
ceniza ash
centella flash
centenar: a —es by the hundreds
centinela m. sentinel
centro: al — downtown
ceño brow
cera wax
cercanía nearness
cercano adj. near, nearby, close
cerdo pig
cerebro brain
cernirse (ie) to spread against
cerrada: noche — completely dark
cerrar (ie) to shut, close; — el paso to block the way
cerro hill
cerrojo, bolt, latch
certidumbre f. certainty
cesar to stop, cease
césped m. lawn, grass
cetrino yellow-skinned
cianuro: — de potasio potassium cyanide

**cicatrizar** to heal over
**cicuta** hemlock
**ciegamente** blindly
**cielo** sky, heaven; — **raso** ceiling;
¡**Cielos**! Good heavens!
**ciénaga** marsh, swamp
**cieno** mire, slime
**cierto** certain, sure
**cifra** sum total, number
**cigarra** locust
**cintura** waist
**circular** to go (move) through
**circunvecino** neighboring, surrounding
**ciudadano** citizen
**clamar** to cry out
**claridad** light, brightness
**clarividencia** clairvoyance
**claro** clear, bright; of course; —
**que** of course; **es** — of course!
**clavar** to fix, nail, stick in, pierce,
prick
**clavo** nail, spike
**cobayo** guinea pig
**cobertizo** covering
**cobrar** to charge (for), collect
(*money*)
**cocina** kitchen
**cocinera** cook
**cocotero** coconut tree
**codicia** fervent desire; envy,
greed, covetousness
**coger** to catch, pick up
**cojear** to limp
**cola** tail
**colarse** (**ue**) to pass (steal) through
**colchón** *m.* mattress
**colear** to pull an animal's tail
**colegio** school
**cólera** rage
**colgar** (**ue**) to hang
**colmena** hive
**colmenar** *m.* apiary (*group of bee-
hives*)
**colmado** complete, full
**colocar** to place, set, put
**colorado** red
**comadrear** to gossip

**comarca** territory, region, district,
neighborhood
**comedor** *m.* dining-room
**comercio** business
**comestible** *adj.* edible
**cometer** to commit
**comida** meal
**como:** — **para** as if to
**cómodo** comfortable
**compadecer** to pity
**compadecido** showing pity
**complacer** to please
**completo:** **por** — completely
**componerse** (**de**) to be composed,
made up (of)
**comprender** to understand; to
comprise
**comprobar** (**ue**) to verify, confirm,
substantiate
**comprometedor** compromising
**compuesto** *p. p. of* **componer**
dressed up, made up
**comunicarse con** to get in touch
with
**concluir** to finish, end; — **de** + *inf.*
to finish + *gerund* (*e. g.* con-
**cluyó de comer** he finished
eating)
**concordar** (**ue**) to agree, tally
**concurrir** (**a**) to attend, go (to)
**condenado** condemned man
**cóndilo** round knob at the end of
a bone
**condiscípulo** classmate
**conducir** to lead, direct, take; to
carry, drive
**conductor** *m.* driver, conductor
(*Mex.*)
**confianza** confidence
**confiar** to confide, entrust
**conformarse** (**con**) to decide (to),
agree (to)
**conforme** agreed; as soon as; ac-
cordingly; — **a** in accordance
with
**confundir** to confuse, mix
**congoja** grief, affection

congregar to gather together; —se to gather together, congregate
conjunto combination
conocedor *adj.* expert, competent (*as a connoisseur*)
conocer: dar a — to make known
conocido *n.* acquaintance, friend
conocimiento knowledge
consabido well-known
consagrado consecrated
consejo advice
conseguir (i) to obtain, get, gain
conservar to retain, keep
consuelo consolation, comfort
contabilidad bookkeeping
contar (ue) to count; to relate, tell a story
contenido *n.* contents; *adj.* prudent, careful
contentarse to be satisfied, content
contiguo adjoining
continuo: acto — immediately afterward
contoneo swaying
contorno vicinity
contraer to contract
contrariar to upset, annoy
contratar to engage, rent
contraveneno antidote
conveniente desirable, suitable; —mente in the right way, as one is supposed to
convenir (ie) to be desirable, suitable, fitting, proper; to agree
convento monastery
convertir (ie, i) to turn into; —se to turn into, become
convoy *m.* train
copetudo high, lofty
copudo thick-topped (*tree*)
corazón *m.* heart
cordón *m.* cord, curb
coro chorus; a (en) — in chorus
corola inner petals
corona *kind of fireworks that explodes in a shower of colors*
coronar to crown, top
corporeidad body weight

corredor *m.* front porch
correntón *m.* gust
correr to run; to pursue, chase
corriente *f.* current; darle la — to humor one; llevarle la — to let one have his own way; *adv.* —mente in the usual way
cortadera *type of sharp-bladed grass*
cortar to cut (off), hang up (*telephone*)
cortésmente courteously, politelv
cortina curtain; — metálica steel shutter (*lowered over store fronts at night*)
costa cost, price; coast, shore
costado side; de — on one's side
Costanera, la *a riverside drive and walk in Buenos Aires*
costar (ue) to cost, to cause; — poco to be easy
costear to go along the edge (*of a body of water*)
costilla rib
costoso expensive, costly
cráneo skull, head
crecer to grow, increase
creciente growing, increasing
crédito belief, faith
creer: ¡ya lo creo! of course!, yes indeed!
crepuscular *adj.* twilight
crepúsculo twilight, semi-light
criado servant
criar to raise, bring up
crin *f.* mane
criollita *dim. of* criolla a native of Spanish America
crispado curled, contracted, twisted
cristal *m.* glass, crystal; pane of glass, window
crónica chronicle
crujiente *adj.* rustling, crackling
cruz *f.* cross, crossing
cruzar to cross
cuadrilla crew, gang (*of workers*)
cuajado ornately decorated

cual which, what; el (*and other articles*) — which, who; tal o — such-and-such, so-and-so

cualquier(a) any, anybody

cuando when, whenever; — menos at least; de — en — from time to time; de vez en — from time to time, now and then

cuanto all that, everything that, as much as; — antes without delay, as soon as possible, immediately; en — as soon as; unos —s a few, some

cubierto *p. p. of* cubrir; a — protected

cubrir to cover

cuchichear to whisper

cuello neck

cuenta: darse — de to realize

cuentagotas *m.* dropper

cuento story

cuerda rope, string

cuerpo body; — de policía police force

cuervo crow

cuidado care; be careful; — con watch out for

cuidadosamente carefully

cuidar de to take care (be careful) to; to take care of; —se de to take care to

cuitado unfortunate

culpa blame, guilt

culpable blameworthy, guilty

cumbre *f.* peak

cumplimiento fulfillment, performance

cumplir to fulfill, keep, observe; — ... años to be ... years old

cuna family, lineage; cradle

cundir to grow, flourish, expand

curarse to get well

cúspide *f.* tip, point

custodio guardian

cuyo whose

## CH

chacal *m.* jackal

chapita small metal plate

chapotear to splash

chaqueta jacket, coat

charlar to chat

charol *m.* patent leather

chasquear to snap, crack

chico *n.* boy lad, "kid"; *adj.* small, tiny

chicuelo *dim. of* chico

chillar to shriek, scream

chiquilín *m.* child, "kid" (*dim. of* chico)

chiquillo, chiquito, *dim. of* chico

chispa spark

chiste *m.* joke

chocar con to bump (crash, run) into, hit

chocolatín *m.* chocolate candy

chófer *m.* driver

chorro stream, spurt

choza hut

## D

dados *pl.* dice

daga dagger

dama lady; queen (*in chess*)

dañino harmful

daño harm, damage, injury; hacer — to hurt

dar to give; to strike (*the hour*) (*e.g.* dieron las cinco the clock struck five); — a conocer to make known; — con to come across; — contra to hit against; — de mamar to nurse (*as with an infant*); — la vuelta (a) to go around; —le la corriente to humor one; — que hablar to give occasion for talk, comment; — razón a to make come true; — sobre to fall (hit) on; — un brinco (salto) to jump, take a jump; — un paso to take a step; — una vuelta to take a walk;

— **voces de socorro** to call for help; — **vuelta** to turn around; —**se cuenta de** to realize; —**se el caso** to happen; —**se por satisfecho** to be satisfied; —**se prisa** to hurry

**deán** dean (*high official of a cathedral*)

**deber** to be supposed to, should, ought to, must; to owe; — (**de**) must (*probability*); —**se** to be due

**debidamente** in the proper fashion

**débil** weak

**debilidad** weakness

**decible** utterable

**decir** (**i**): **oír** — to hear, hear it said; **querer** — to mean; **a** — **verdad** to tell the truth

**declaración** statement

**declinación** fall

**dedo** finger, toe

**definitivamente** finally

**defunción** death

**degollar** (**ue**) to cut one's throat, behead

**dejar** to let, allow, permit; to leave; — **caer** to drop; —(**se**) **de** + *inf.* to stop + *gerund* *e.g.* **dejó de escribir** he stopped writing); **no** — **de** + *inf.* not to fail + *inf.* (*e.g.* **No deje de escribirle** Don't fail to write to him)

**deleite** *m.* delight

**deletrear** to spell

**delicadeza** daintiness, tenderness

**delicioso** delightful

**demanda: en** — **de** asking for

**demás** rest; **los** — the others

**demasiado** too much, too

**demoler** (**ue**) to demolish, tear down

**demoníaco** diabolical, devilish

**¡Demonios!** The Devil!

**demora** delay

**demorar** to delay

**demostrar** (**ue**) to show, demonstrate

**Deo** (*Lat.*) God; —**gratias** Thanks be to God

**deporte** *m.* sport

**depositar** to place

**derecho** *n.* right, privilege; *adj.* right

**derramar** to pour, spill

**derribar** to destroy, raze, knock down

**derroche** *m.* flood

**desafío** challenge

**desaforadamente** in an unusual (extraordinary, crazy) way

**desaforado** wild, crazy

**desagrado** displeasure

**desalentado** out of breath

**desaparecer** to disappear

**desarmar** to take apart

**desarrapado** ragged

**desatar** to untie

**desayuno** breakfast

**desbocado** runaway (*said of a horse*)

**desbordarse** to come out of, overflow

**descalabrarse** to fracture one's skull

**descalzo** barefooted

**descansar** to rest

**descomponerse** to separate, come apart

**descompostura** *n.* upset

**descompuesto** upset

**desconcertado** disturbed, confused, disconcerted

**desconocido** unknown, strange; *n.* stranger

**descoyuntar** to dislocate

**descubrir** to uncover, discover

**descuento** discount

**descuidado** careless

**desde** from, since; — **que** since, ever since

**desdecirse** (**i**) to retract (*a statement*)

**desdeñar** to disdain, scorn

**desdeñosamente** disdainfully
**desdichado** unhappy, unfortunate
**desembocar** to come into, flow into
**desempeñar** to perform, discharge; to redeem, take out of pawn
**desenlace** *m.* unfolding (*of the plot of a story*)
**desentonado** discordant
**desenvainar** to unsheathe
**desenvolverse (ue)** to develop, unfold
**desesperación** desperation
**desesperado** desperate
**desesperante** maddening
**desesperar(se)** to lose hope, despair
**desgarrar** to tear, claw
**desgraciado** unfortunate
**deshacer** to destroy, cut to pieces; — se to be overwhelmed, overcome
**deshecho** *p. p. of* **deshacer**
**desierto** deserted; *n.* desert
**desistir** to stop, cease
**deslizarse** to glide by
**desmayado** in a faint, unconscious
**desmayarse** to faint
**desmoronarse** to crumble, fall apart
**desnucarse** to break one's neck
**desnudo** naked, bare
**desocupado** idle
**desordenado** wild, irregular
**despachar** to dismiss, put away
**despacio** slowly
**despacito** very slowly, very softly
**despatarrado** stupefied, motionless
**despectivamente** contemptuously
**despedazado** ruined, broken, crumbled
**despedir (i)** to dismiss, fire, discharge; —se (de) to say good-by (to), take leave (of)
**despegar** to unglue, separate
**despertar (ie)** to wake up; —se to wake up, awaken

**despilchado** poorly dressed (*Arg. slang*)
**despojos** *pl.* spoils, ruins
**desposada** maiden, bride
**desprecio** scorn
**despotismo** tyranny, despotism
**desprender** to remove; — se to come (peel) off, come loose, separate
**despreocupado** unworried, carefree
**despreocupar** to put one's mind at ease
**desprovisto** bare, lacking
**desvalido** helpless
**desvanecido** vanished, out of sight, disappearing from sight
**desvanecimiento** dizzy spell
**desvestir (i)** to undress
**desviar** to deflect, ward off
**detalle** *m.* detail
**detener (ie)** to stop, hold back; —se to stop
**determinado** definite, decided
**devastar** to destroy, ruin
**devolver (ue)** to return, give back
**di** *imp. of* **decir**
**día: al otro** — on the next day
**diafanidad** transparency, translucency
**diáfano** translucent, diaphanous
**diario** *n.* daily newspaper; *adj.* daily
**dibujar** to draw, sketch
**dicha** happiness, good fortune
**dicho** *p. p. of* **decir**; — y hecho no sooner said than done; *n.* saying; lo — as I have said
**dichoso** happy, fortunate
**diente** *m.* tooth
**dientecillo** *dim. of* **diente**
**digno** worthy; — de fe trustworthy, creditable
**dilatar** to stretch out, lengthen
**diminuto** tiny, minute
**directorio** board of directors
**dirigirse a** to turn to, go up to; to address
**discípulo** pupil

**díscolo** unruly
**disculpa** apology, excuse
**disculparse** to apologize, excuse oneself
**disfrazar** to disguise
**disfrutar de** to enjoy oneself, benefit by (from)
**disminución** loss, decrease
**disminuir** to lessen, diminish
**disolverse (ue)** to disappear
**disparar** to shoot, fire
**disparate** *m.* nonsense
**displicencia** disagreeableness, displeasure
**disponer** to order, command; — **de** to have available
**dispositivo** device, contrivance
**dispuesto** *p. p. of* **disponer;** ready, inclined to, disposed
**distinguir** to make (pick) out, distinguish
**distinto** different
**distraer** to distract
**divagar** to roam
**divertido** enjoyable, amusing
**divertirse (ie, i)** to enjoy oneself, have a good time
**divisar** to sight, see, perceive at a distance
**doblar** to bend (over)
**doctorar** to confer a doctor's degree on
**dolencia** illness, ailment
**doler (ue)** to hurt, pain, hurt
**dolor** *m.* pain
**dolorcillo** little pain, twinge
**dolorido** sore, painful
**dolorosamente** painfully
**domador:** — **de fieras** wild-animal tamer
**don** *m.* gift; *title of respect used before one's given name in Spanish, usually not translated into English*
**donde** where; — + *a personal noun* = **en casa de** (*used in Spain*); **donde la tía** to her aunt's
**dorado** golden

**dormido** sleeping, asleep
**dormir (ue, u)** to sleep; — **como un bendito** to sleep like a baby
**dormitorio** bedroom
**dorso** back
**dotar** to give (*as a gift*)
**duda** doubt
**dudar** to doubt
**duende** *m.* goblin
**dueño** owner
**dulzura** sweetness, softness
**durar** to last
**durmiente** *m.* railroad tie
**duro** *n.* dollar, *peso*; *adj.* hard. tough

## E

**¡ea!** hey!
**echar** to throw, toss; to put; to pour; to mail; — **a** to begin to; — **mano de** to make use of; —**se a** to begin to
**edad** age
**educación** upbringing, training, breeding
**efectivamente** really, actually
**efecto: en** — as a matter of fact, in fact, in effect
**eficaz** effective, efficacious
**eje** *m.* axle
**ejecutar** to carry out
**ejército** army
**elegir (i)** to elect, choose
**elevarse** to rise
**emanación** glow
**embalsamado** embalmed
**embanderar** to decorate with banners or flags
**embarcar** to board (*a boat*), embark
**embargo: sin** — however, nevertheless
**embaucar** to deceive, trick
**embelesado** charmed, delighted, enraptured
**emborracharse** to get drunk
**embotamiento** dullness

**embutir** to imbed, force into
**empañado** tarnished, sullied
**empeñar** to pawn; —**se (en)** to insist (on), persist (in)
**empeño** effort
**empero** nevertheless
**empinarse** to rise up
**empleado** employee
**emplear** to use
**empleo** employment, use
**emprender** to undertake
**empresa** company, firm
**empujar** to push
**empujón** *m.* push, shove
**enamorarse (de)** to fall in love (with)
**encaminarse a** to set out (head) for
**encantado** enchanted
**encantador** charming, delightful
**encargar** to order
**enceguecido** blinded, enraged
**encender (ie)** to light
**encendido** bright, lit, burning
**encerrar (ie)** to enclose; to shut (lock) up
**encía** gum (*of the mouth*)
**encima (de)** on top (of); **llevar —** to have on one's person ("on him")
**encogerse: — de hombros** to shrug one's shoulders
**encogido** huddled
**encomendar (ie)** to commend, entrust (put in the hands of)
**encomienda** parcel
**encontrar (ue)** to find, meet; —**se con** to meet, run into
**encorvado** curved
**encristalado** *adj.* glass
**encuentro** meeting; **al — de** to meet
**endemoniado** demoniacal
**enderezar** to go straight; to straighten out
**enérgico** energetic
**enfadarse** to get angry
**enfermedad** sickness

**enfermería** infirmary
**enfriamiento** chilling
**enfundado** encased, in a holster
**enfurecido** furious
**engañar** to fool, deceive
**engarzado** joined, set in
**enharinado** whitened with flour
**enhiesto** erect, lofty
**enjambre** *m.* swarm
**enjugar** to wipe dry
**enlazar** to join, unite
**enloquecer** to drive crazy, madden
**enmohecido** rusty
**enmudecer** to become silent
**enojarse** to get annoyed, angry
**enorgullecer** to become proud
**enredadera** vine
**enrojecido** reddened, reddish
**ensalmo: como por —** as if by magic
**ensangrentado** bloody
**ensayar** to try; to rehearse; —**se** to try
**enseñar** to teach, show
**ensillar** to saddle
**ensombrecido** shaded, in shadow
**ensueño,** illusion, fantasy
**entablado** herded (*Arg.*)
**entablar** to initiate, start, begin
**entender (ie)** to understand; —**se** to imagine, understand; —**se con** to handle
**entendimiento** understanding, knowledge
**entero** entire, full
**enterrar (ie)** to bury
**entonar** to sing, intone
**entonces: en ese —** at that time
**entornado** ajar
**entrada** entrance
**entraña** intestine, entrail
**entrañable** strong, deep, intense
**entrecerrado** half-open
**entrecruzar** to criss-cross; interlace
**entregado: —a la meditación** lost in meditation

entregar to give up, surrender, hand over, deliver
entrelazar to intertwine
entrenamiento training
entretanto meanwhile
entretener (ie) to entertain
entristecer to sadden
entusiasmado enthusiastic
envenenar to poison
enviar to send
envidioso jealous, envious
envoltura covering, wrapping, "skin"
envolver (ue) to wrap
envuelto p. p. of envolver
época time, era
equivaler to be equivalent (to)
equivocar to mistake; —se to make a mistake
érase (imperf. of ser) once there was (used to begin a story)
erizado raised
es: — que the fact is that
esbelto slender, well-built
escala stop, stopping place
escalera stair, stairway, ladder
escalón m. step
escaparate m. display window
escapatoria escape
escarmentar (ie) to take warning
escasear to be scarce
escena scene
escolar adj. school, academic
escondidas: a — secretly
escudero page, squire
escupir to spit
esforzar (ue) to exert, strengthen; —se (por) to make an effort (to)
esfuerzo effort
esguince m. slight movement, jerk
esmalte m. enamel
esmeralda emerald
espalda back
espantado frightened, terrified
espanto fright, terror
espantoso frightful, dreadful
especie f. kind, type

espejismo mirage
espera wait, waiting
esperanza hope
espía m. spy
espina fishbone
espuma foam
espumoso foamy
esquila bell
esquina corner
estación season; station
estadística statistics
estallar to explode, break out (war)
estampa picture
estampido crack, report of a gun
estar: — para (por) to be about (ready) to; —se to be, stay, remain
estatura figure; height
este m. East
éste the latter
estelar stellar
estilo: de — usual, customary
estirar to stretch
esto: en — just then
estómago stomach
estragar to despoil, ruin
estrago havoc, ruin
estrecho adj. close
estrella star
estremecerse to shake, tremble, shiver, shudder
estrépito noise, ruckus
estridente harsh, strident
estropear to injure, cripple
estrujar to wring, squeeze
estrujón m. squeezing, pressing
estupidez stupidity
etiqueta label
evitar to avoid
exigencia demand
exigir to demand
éxito success
expedición sale
expedientes m. pl. means, resources
expender to sell
explicación explanation

**explicar** to explain; —**se** to understand, see
**expuesto** liable, exposed
**expulsar** to expel, get rid of
**extender (ie)** to draw up (*a document*)
**extenuarse** to languish
**extorsionar** to extort
**extranjero** foreign; **al** — abroad
**extraño** strange
**extraviarse** to get lost, misplaced
**extravío** aberration, deviation
**extremo: en** — a great deal

# F

**fabricación** manufacture
**fabricar** to make
**facción** feature
**facultad** college, school (*of a university*)
**fachada** façade
**falda** slope
**falta** lack, need; **hacer** — to be necessary, needed
**faltar** to be lacking, missing, needed (*e. g.* **lo que te falta** what you need); — **a** to be absent (from)
**fallecer** to pass away, succumb
**fallecimiento** death
**fanfarrón** *m.* b o a s t e r, loud-mouthed
**fango** mud
**farol** *m.* street-light
**fastidio** arrogance
**fatigar** to fill (*figurative*)
**fatigoso** tiresome; **fatigosamente** laboriously
**favor: por** — please
**faz** *f.* face
**fe** *f.* trust, faith; **digno de** — trustworthy
**fecundo** fertile, fruitful
**felicidad** happiness
**feliz** happy
**feo** ugly
**ferrocarril** *m.* railroad

**ferrocarrilero** *adj.* railroad
**ferroviario** *adj.* railroad
**festejar** to celebrate, admire, praise
**fidedigno** trustworthy, creditable
**fiebre** *f.* fever
**fiera** beast; **domador de** —**s** animal tamer
**figurar** to have the shape of; —**se** to imagine
**figurilla** *dim. of* **figura** shape, form, figure
**fijar** to fix, establish; —**se (en)** to notice
**fijo** fixed
**fila** row, line
**filiación** description
**filo** line; blade
**filósofo** philosopher
**fin: al** — finally; **al** — **y al cabo** after all; **en** — anyway (*expl.*); **por** — finally, at last
**finca** farm
**firmar** to sign
**flaco** thin, skinny
**flamante** bright, polished; brand-new
**flamear** to flutter
**flanco** side, flank
**flaquear** to get weak
**flaqueza** weakness
**flecha** arrow
**florero** flower vase
**fluctuante** floating, fluctuating
**follaje** *m.* foliage
**fonda** inn
**fondo** bottom, depth; background; back, rear
**forastero** stranger (*from another city or town*)
**forense** *m.* coroner
**forjado** wrought, built, constructed
**forma** shape
**fortuna: por** — fortunately
**forzado** compelled, forced
**forzar (ue)** to break open
**fosa** grave, hole, ditch

**fósforo** match
**fracaso** filure
**fraile** friar, monk
**franquear** to open, clear
**frasco** bottle, flask
**frasquito** *dim. of* **frasco**
**fray** brother (*religious title*)
**frenético** frenzied
**frente** *f.* forehead; **en —** *adv.* opposite, in front; **— a** *prep.* opposite, in front of
**fresco** *n.* cool, coolness; *adj.* fresh, cool
**frescura** coolness
**fresquito** very fresh
**frotar** to rub
**fruncido** wrinklcd
**fuego** fire; **—s artificiales** fireworks
**fuente** *f.* fountain, stream
**fuera** away; off with; **— (de)** outside (of), out (of)
**fuertemente** tightly
**fuerza (s)** strength; **sin —** exhausted
**fuga** flight
**fugazmente** fleetingly
**fugitivo** *adj.* escaped
**fulgurar** to flash
**fullero** "shady," dishonest
**fumar** to smoke
**furor** *m.* rage, fury

## G

**galantear** to court, pay attention to
**galería** hall
**galpón** *m.* shed
**gallardo** gallant
**gallina** hen
**gana** desire, whim; **de buena —** willingly, **de mala —** unwillingly; **tener —s de** to feel like
**ganancia** profit, earning
**ganar** to gain, win; **—se el pan** to earn a living
**gansa** goose
**garganta** throat

**gastar** to waste, spend; **—se** to wear out
**gasto** expense
**gemido** moan, cry
**gesto** gesture
**gira** trip, visit
**girar** to spin, turn, swing, rotate
**gis** *m.* chalk
**globo** balloon
**gobernar (ie)** to rule, direct
**golpe** *m.* blow
**golpear** to hit, knock, strike
**golpecito** tap, rap
**golpeo** beating
**gota** drop
**gotera** leak
**goterón** *m.* glob, large drop
**gozar (de, con)** to enjoy
**gracia: hacer —** to be funny
**gradas** *pl.* gallery (*of an amphitheater*)
**granate** garnet, deep red
**grasoso** greasy
**gratias (***Lat.***)** thanks
**griego** Greek
**gris** gray
**gritar** to cry out, shout
**gritería** shouting
**grito** cry, shout
**grosería** r u d e n e s s, boorishness, coarse word (action)
**grúa** crane, derrick
**grueso** thick
**gruñir** to growl
**gruta** cavern, grotto
**guardagujas** *m.* switchman
**guardar** to keep
**guarida** lair, den
**guía** guide, guidebook, directory; **— ferroviaria** timetable
**guiar** to guide
**guijarro** pebble
**guiñapo** tattered rag
**guiño** wink
**guisar** to cook
**guiso** cooked dish
**gula** gluttony
**gusto** pleasure; taste

# H

**haber** to have (*aux*); to be (*impersonal*) (*e. g.* **hay** there is, are; **había** there was, were, etc.); — **de** to be supposed to, be to; — **que** to be necessary to

**habilitación** backing (*business*)

**habitación** room

**habitante** *m.* inhabitant

**hablar: dar que** — to give occasion for comment, talk

**hacendado** rancher, landowner

**hacer** to do, make; to show lapse of time (*e. g.* ¿**Hace mucho tiempo que estás viviendo aquí?** Have you been living here very long? **Hace pocos días** A few days ago); — + *weather expression* to be + *weather expression* (*e. g.* **Hace calor** It's hot); — **daño** to hurt; — **falta** to be necessary, needed; — **gracia** to be funny; — **saber** to inform, notify; — **se** to "play," pretend (*e. g.* **No se haga el tonto** Don't play dumb); —**se** + *n.* to become + *n.*; —**se el sordo** to turn a deaf ear

**hacia** toward

**hacienda** estate, ranch

**hacha** axe

**hachar** to chop

**hachazo** blow with an axe

**hada** fairy

**hallar** to find; —**se** to be, be found

**hambre** *f.* hunger

**hartarse** to get one's fill

**harto** full, fed-up

**hasta** until, to, up to; even; — **que** until

**hastío** weariness, tedium

**hazaña** feat

**hecho** *p. p. of* **hacer; dicho y** — no sooner said than done; **lo** — that which was done

**herboristería** herb shop

**herida** wound, injury

**herido** wounded, injured, struck

**herir** (**ie, i**) to wound

**herrumbrar** to rust

**hervir** (**ie, i**) to boil, seethe

**hidalgo** nobleman, gentleman

**hielo** ice

**hierro** iron, piece of iron

**higo** fig

**hilo** thread

**hinchado** swollen (up)

**hipócrita: a** —**s** hypocritical

**hipotensión** insufficient tension

**historieta** comic strip

**hito: de** — **en** — from head (top) to foot (bottom)

**hogar** *m.* home

**hoja** leaf

**holgazán** *m.* idler, loafer

**holgazanería** idleness, laziness

**hollar** (**ue**) to tread, trample

**hombro** shoulder

**hondo** deep

**hongo** mushroom

**honradez** honesty

**honrado** honest

**hormiguear** to swarm

**hormigueo** itching

**horno** oven

**hoy: de** — **en adelante** from today on

**hoyuelo** little hole

**hubo** *3rd pers. pret. of* **haber** there was (were)

**hueco** hollow, open space; **del** — **del mostrado** from underneath the counter; *adj.* hollow; **a** —**as** hollow

**huella** trace

**huerto** orchard

**hueso** bone

**huésped** *m.* guest

**huir** to flee

**humareda** cloud of smoke

**humear** to smoke (*intrans.*)

**humedecer** to wet, moisten

**húmedo** damp, wet, humid

**humilde** humble
**humo** smoke
**humor** *m.* mood, humor
**hundirse** to sink
**hurgar** to handle, move, agitate

# I

**ida: de — y vuelta** round-trip
**idear** to conceive the idea of
**idilio** idyll
**idioma** *m.* language
**iglesia** church
**ignorar** not to know, to be ignorant of
**igual** equal; **por — equally**
**igualado** equalized, the same
**ilusionista** magician
**impedir** (i) to prevent
**impermeabilizar** to make waterproof
**implacable** relentless
**importar** to matter, be important
**impracticable** rough, impassable
**imprecisable** vague, indeterminate
**imprevisible** unforeseeable
**impropio** inappropriate, unsuited
**imprudencia** indiscretion
**inadvertencia** accident, oversight
**inaudito** unheard of, inconceivable
**incapaz** incapable
**incendiado** ruined by fire
**incendio** fire, blaze
**inconveniente** *m.* objection; disadvantage; **tener — en** to mind
**incorporarse** to stand, sit up
**increíble** incredible
**indecible** inexpressible
**indefenso** defenseless
**indemnizar** to pay for, compensate (damages)
**indigesto** undigested
**indistintamente** indifferently, without distinction
**inerte** paralyzed
**inexactitud** inaccuracy
**infamación** infamy
**infeliz** unhappy

**informes** *m. pl.* information
**infortunio** misfortune, bad luck
**infundir** to infuse
**ingeniero** engineer
**ingenio** talent, skill, cleverness
**ingenuo** candid, ingenuous
**ingestión** eating
**ingravidez** lightness, weightlessness
**injuria** insult, slander
**inmóvil** motionless
**inmovilidad** motionlessness
**inmutarse** to become disturbed, lose one's composure
**inquietar** to make uneasy, **—se** to worry, become uneasy
**inquieto** restless, anxious, uneasy
**inquietud** uneasiness
**insoportable** insufferable, unbearable
**intemperie** *f.* bad weather
**intempestivo** sudden, unexpected
**intentar** to try
**interminable** endless
**internarse** to go into
**interrogar** to question
**intransitable** impassable
**inútil** useless; **—mente** in vain
**inutilizar** to disable, render useless
**inyectar** to inject
**irrespetuoso** disrespectful
**isla** island
**itinerario** schedule, timetable
**izquierdo** *adj.* left

# J

**jactarse** to brag, boast
**jadear** to pant, gasp
**jadeo** panting, heavy breathing
**jamás** never, ever
**jaque mate** checkmate (*chess*)
**jaqueca** severe headache
**jardín** *m.* garden; **—es aéreos** roof gardens
**jaula** cage
**jefe** *m.* chief, leader

**jinete** *m.* rider (*on horseback*); cavalryman
**jirón** *m.* shred, piece
**joya** jewel
**jubilado** retired
**juego** game
**jugada** move (*chess*)
**jugar (ue)** to play; to gamble
**juguete** *m.* toy, plaything
**juguetear** to frolic, bambol
**juicio** senses, judgment
**juncal** *m.* field of reeds, rushes
**juntar** to gather, join
**junto** together; — **a** next to, against
**jurar** to swear, take an oath
**justo** exact

## L

**laberinto** labyrinth
**labio** lip; **sellar los —s** to silence
**labrador** farmer
**lacrimógeno: gas —** tear gas
**ladear** to tilt, tip
**ladrar** to bark
**ladrón** *m.* thief
**lágrima** tear
**laja** rock protruding out of the water
**lamentable** sorrowful, lamentable
**lamento** wail, lament
**lámina** sheet, layer
**lancha** launch
**languidecer** to be weak, languish
**lanzallamas** *m.* flame-thrower
**lanzar** to launch, fling, throw; to issue, let out, emit
**lápida** gravestone
**largo** *n.* length; *adj.* long
**lástima** pity, sorrow; **tener — de** to feel sorry for
**lastimosamente** painfully
**lateral** *adj.* side
**latigazo** crack, blow of a whip
**látigo** whip, lash
**latir** to beat, pulsate
**lazo** tie, band

**Leandro N. Alem** street in Buenos Aires
**lecho** bed
**lego** lay brother, friar
**legua** league (*distance*); **a la —** a mile away
**legumbre** *f.* vegetable
**lejano** *adj.* far, distant
**lejos: a lo —** in the distance
**lengua** language; tongue
**lente** *m.* lens
**lento** slow
**leña** firewood
**lepra** leprosy
**lesionado** injured
**letanía** litany
**letrero** sign
**levantar** to raise; — **vuelo** to take off; **—se** to get (stand) up
**leve** light (*in weight*)
**levita** frock coat
**levitar** to float
**ley** *f.* law
**libar** to sip
**librarse (de)** to be free (from), get rid of
**libre: al aire —** outside
**librería** bookstore
**libreta** memorandum book, notebook
**licenciar** to license, confer a degree (on)
**ligado** bound, fastened
**ligadura** bond, tie
**ligar** to tie, join
**ligero** quick, fast; light (*in weight*)
**lijado,** ground, worn-down
**limitar** to border, bound
**limpio** clean, neat; **sacar en —** to gather, conclude
**lindar (con)** to border (on)
**linde** *f.* border, edge
**lindo** pretty, nice
**linfa** stream
**linterna** lantern; — **eléctrica** flashlight
**lirio** lily
**listo** ready

**liviano** light (*in weight*)
**lo:** — **que** what, that which, which; — + *adj.* the + *adj.* + *part* (*e. g.* **lo milagroso** the miraculous part)
**lobo** wolf
**lóbrego** gloomy, somber, dark
**locura** madness, insanity
**lodo** mud
**lograr** to succeed (in)
**loro** parrot
**losa** stone, flagstone
**lote** *m.* lot, group
**luciérnaga** firefly
**lucir** to shine
**lucha** fight, battle, struggle
**luchar** to fight
**ludión** *m.* Cartesian devil (*physics*)
**luego** then; immediately soon; afterward
**lugar** *m.* place, village
**lujoso** luxurious, lavish
**luna** moon
**luto:** **de** — (dressed) in mourning
**luz** *f.* light; *pl.* **luces; luces de bengala** Roman candles (*fireworks*)

## LL

**llaga** wound
**llama** flame
**llamarada** flame
**llegada** arrival
**llegar** (**a**) to arrive, get to; to manage
**llenar** (**de**) to fill (with)
**lleno** full
**llevar** to carry, take; — **encima** to have on one's person ("on him"); —**le la corriente** to let one have his own way; —**se** to take away, carry off; —**se con** to get along with; —**se una sorpresa** to be surprised
**llorar** to cry, weep
**lluvia** rain

## M

**macizo** flower bed
**madriguera** den
**madrugada** dawn; **muy de** — at daybreak
**maduro** grown-up
**Magdalena** Mary Magdalene (*the repentant sinner of Biblical fame*)
**magia** magic
**mágico** magician
**mago** magician, sorcerer
**majadería** nonsense
**majestuosamente** majestically
**majestuosidad** majesty
**mal** *m.* sickness; evil, wrong; "No hay — que por bien no venga" "Everything turns out for the best," "Every cloud has a silver lining"
**maldad** evil
**maldecir** (**i**) to curse, damn
**maldición** curse
**maldito** cursed, damned
**malestar** *m.* indisposition
**malgastar** to waste, squander
**mamar:** **dar de** — to nurse (*as with an infant*)
**mamarracho** grotesque figure
**mancebo** young man
**mancha** stain, spot
**manchado** stained
**mandar** to send; to command, order
**manejar** to drive (*a car*); to manage, handle
**manera** way; **de** — **que** in such a way that, so; **de todas** —**s** anyway
**manga** sleeve
**manivela** crank
**mano** *f.*: — **de pintura** coat of paint
**manotada** blow with paw, hand
**manotear** to cuff, flail
**manotón** *m.* slap with the paw
**manso** meek, tame

**manta: a —s** "by the dozen," in abundance
**mantenerse (ie)** to stay, continue
**manzana** apple
**maña** skill, art
**mañana** *f.* morning; *m.* tomorrow; **— mismo** tomorrow at the latest; **pasado —** day after tomorrow
**máquina** machine
**maquinista** *m.* engineer (*railroad*)
**mar** *m.* sea, ocean
**maravilla** wonder, marvel
**maravillado** in wonderment, marveled
**maravillar** to amaze, surprise
**marco** frame, window case
**marcha** motion, walk, course, advance; **en —** moving, going (*e. g.* **El tren está en marcha** The train is moving); **poner (en) —** to start (*a vehicle or machine*)
**marcharse** to leave
**mareado** dizzy, slightly nauseated
**marido** husband
**marino** *adj.* sea
**mármol** *m.* marble
**martillar** to hammer
**mas** but
**más** more, most, anymore; **— allá** farther on; **— allá de** beyond; **— bien** rather, more; **no —** just; **no — que** only; **sin —** without further ado
**matadero** slaughterhouse
**matar** to kill
**mayor** *m. n.* adult; *adj.* older, oldest, greater, greatest
**mayordomo** butler
**mecha** wick, fuse
**mediante** by means of
**medida** measure; **a — que** while, at the same time as
**medio** *n.* way, manner; middle; means; *adj.* half
**mejilla** cheek
**mejorar(se)** to improve, get better
**melífluamente** sweetly

**memoria: de —** by heart
**mendicante** *m.* beggar
**menor** slightest, smallest
**menos** less, least; **a — que** unless; **no poder — de + inf.** not to be able to help but **+ v.** (*e. g.* **No se podía menos de imaginarlos** One could not help but imagine them); **por lo —** at least
**menosprecio** scorn
**mentir (ie, i)** to lie (*tell a falsehood*)
**menudo: a —** often
**merced** *f.* favor
**merecer** to deserve
**merienda** luncheon, light meal (*taken in the afternoon*)
**meter** to put into
**meticulosidad** meticulous care
**miaja** bit
**miedo** fear; **tener — (de)** to be afraid (of)
**miel** *f.* honey
**mientras** while; **— tanto** meanwhile
**milagrero** miracle-maker
**milagro** miracle
**milagroso** miraculous
**millares** *m. pl.* thousands
**mimar** to spoil, indulge
**mimbre** *m.* wicker
**mimosidad** indulgence, solicitousness
**minar** to sap, weaken
**mirada** glance, gaze, look
**mirado: bien —** carefully considered
**misa** mass (*church service*)
**mísero** miserable
**mismo** same, -self, very; **ahora —** right now; **el — rey** the king himself; **mañana —** tomorrow at the latest; **por lo —** by the same token; **yo —** I myself; **el agua —a** the very water
**mitad** half, middle
**mobiliario** furniture

**mocetón** *m.* lad
**modo** way, manner; **a — de** in the manner of, like; **de (tal) — que** in such a way that, so
**mohino** peeved
**mojar** to wet; **—se** to get wet
**moler:** **— a palos** to give a severe beating to
**molestarse (en)** to bother, take the trouble (to)
**molestia** bother, trouble
**moneda** coin
**mono** monkey, ape
**montar** to ride (*on horseback*)
**morder (ue)** to bite, gnaw
**moribundo** dying
**morir (ue, u)** to die
**morisco** Moorish
**mortífero** deadly, lethal
**mostrador** *m.* counter, bar
**mostrar (ue)** to show; **—se** to appear, look
**motivo** reason, motive; occasion
**movedizo** shifting, moving
**movimiento** motion
**mozo** boy, lad; waiter
**mucama** maid
**muchedumbre** *f.* crowd
**mudo** mute
**mueca** grimace, grin, "face"
**muelle** *m.* wharf, pier
**muerto** *p. p. of* **morir;** *adj.* dead
**mugriento** dirty, grimy
**mundo: todo el —** everyone
**muñeca** wrist
**muñeco** manikin, dummy
**muralla** wall
**murmullo** murmur
**murmurar** to gossip; to murmur
**muro** wall
**músico** musician
**muslo** thigh
**mustio** withered

### N

**nadar** to swim
**naranja** orange

**narices** *pl. of* **nariz**
**nariz** *f.* nose, nostril
**narrar** to narrate
**neblina** fog, mist
**necesitado** needy person
**negar (ie)** to refuse, deny; **—se (a)** to decline, refuse (to)
**negocios** *pl.* business, commercial affairs
**ni** neither, nor; not even; **— siquiera** not even; **ni... ni** neither ... nor
**niágara** stream (*poetic*)
**nido** nest
**nieto** grandson
**niquelado** nickel-plated
**noche** *f.* night; **— cerrada** completely dark; **de —** at night
**nombre: poner un —** to name
**noticias** *pl.* news; **recibir — de** to hear from
**novio** boyfriend
**nube** *f.* cloud
**nubecilla** *dim. of* **nube**
**nublado** cloudy
**nuca** back of the neck
**nuevamente** again
**nuevas** *pl.* news
**nuevo: de —** again
**numen** *m.* deity
**nutrirse** to be nourished

### Ñ

**Ñireco, El** *town in Río Negro province of Argentina*

### O

**obispado** bishopric (*office or diocese of a bishop*)
**oblicuamente** slanting, obliquely
**obra** work, deed
**obrar** to work, operate
**obrero** *n.* worker; *adj.* working
**ocaso** setting sun

**ocultar** to hide (*trans.*); —**se** to hide (*intrans.*)
**oculto** hidden
**ocuparse de** to take care of, pay attention to
**ocurrencia** witticism
**odiar** to hate
**odio** hatred
**oeste** *m.* West
**¡oiga!** *pr. subj. of.* **oír** Hey!, Listen!
**oír:** — **decir** to hear, hear it said
**ojalá** may, I hope, God grant (*e.g.* **Ojalá que te acompañe siempre** May He always be with you)
**ojeroso** having circles under the eyes
**ola** wave
**óleo** oil
**oler (ue)** to smell (*trans. and intrans.*)
**olfatear** to smell (*trans.*)
**olor** *m.* smell, odor
**olvido** forgetfulness, oblivion
**onda** ripple
**onde** *coll. for* **donde**
**opinar** to have an opinion, judge
**oponerse (a)** to oppose
**optar (por)** to choose (to)
**oración** prayer
**orar** to pray
**orbe** *m.* earth
**orden** *f.* order, command; **a sus** —**es** at your service; *m.* order
**ordenadamente** in an orderly manner
**oreja** ear
**orfeón** *m.* singing society
**orgullo** pride
**orilla** shore, bank
**oro** gold
**orondo** serene (*Arg.*)
**osar** to dare
**oscurantismo** ignorance
**o(b)scurecer** to get dark
**oscuridad** darkness
**oso** bear

**otro** other, a n o t h e r; **otra parte** elsewhere; **otra vez** again; **al** — **día** on the next day; **unos a** —**s** each other
**oyente** *m.* listener

## P

**pábulo** food
**pacífico** peaceful
**padecer** to suffer
**padrino** godfather
**página** page
**paisaje** *m.* landscape view
**paja** straw
**pajarera** bird cage
**pájaro** bird
**paladear** to savor
**palanquita** *dim. of* **palanca** lever
**palidecer** to turn pale
**palidez** paleness, pallor
**palma** palm tree
**palmada** pat with the hand
**palmera** palm tree
**palmotear** to clap, slap
**paloma** dove, pigeon
**palos: moler a** — to give a severe beating to
**palúdico** noxious, malarial
**pan: ganarse el** — to earn a living
**panal** *m.* honeycomb
**pantalla** lamp shade
**pantera** panther
**pañuelo** handkerchief
**papeleta** ticket, slip of paper
**par** *m.* pair, couple, few; **a la** — **de** even with
**para** for, to, in order to; — **abajo** downward; — **arriba** upward; — **que** so that; — **siempre** forever; **estar** — to be about (ready) to
**parada** stop
**parado** standing
**parecer** to seem, look like, appear; **¿Qué te parece?** What do you think of it?, How do you

like it? —se a to look like, resemble
**parecido** similar
**pared** *f.* wall
**paredón** *m.* thick wall
**pareja** couple
**párpado** eyelid
**parte: alguna —** somewhere; **otra — ** elsewhere; **todas —s** everywhere
**particular** private
**partida** game, match; departure, shipment
**partir** to leave, depart; to break, split, share
**partitura** musical score
**pasado: — mañana** day after tomorrow
**pasajero** passenger
**pasamanos** *m.* railing
**pasar** to spend (*time*); to pass, happen; to enter, come (go); to swallow (*food or drink*); **¿Qué pasa?** What's the matter?
**Pascua** Easter; any one of main church holidays
**paseante** *m.* stroller
**pasear** to walk, stroll; to pass; to go on a pleasure trip
**pasillo** hall
**pasmo** wonder, astonishment
**paso** passage, passing, way, crossing, path; step; **cerrar el —** to block the way; **de —** in passing, by the way; **dar un —** to take a step
**pastoso** pasty
**pata** paw, leg (*of an animal*)
**Patagonia** *región in southern Argentina*
**patalear** to kick, thrash around
**patitieso** stupefied
**patria** country, fatherland
**patrón** *m.* boss
**paupérrimo** very poor
**pausadamente** slowly, deliberately
**paz** *f.* peace; **en —** alone

**pebete** *m.* fuse
**pecho** chest, breast
**pedazo** piece
**pedrada** blow from a stone, stoning
**pegado** attached, stuck
**pegar** to stick; to hit, strike; **— un brinco** to jump
**pejerrey** *m.* mackerel
**pelear** to fight
**peligroso** dangerous
**pelota** ball
**peludo** hairy, furry
**pellejo** skin (*of an animal*)
**pena** pain, sorrow
**penacho** crest
**pender** to hang
**pendiente** waiting
**pensativo** thoughtful, pensive
**penumbra** shadows, semi-darkness
**penumbroso** shadowy
**peón** *m.* farm worker
**percatarse (de)** to be aware (of)
**perder (ie)** to lose; **— pie** to lose one's footing; **—se** to lose one's way, disappear
**pérdida** loss
**perdonar** to excuse
**perfil** *m.* profile
**perito** expert
**permanecer** to stay, remain
**perplejo** perplexing
**persecución** pursuit
**perseguir (i)** to chase, pursue
**persianas** *pl.* venetian blinds
**persona: — mayor** adult
**personaje** *m.* person, character
**personal** *m.* personnel
**pertenecer** to belong
**pesado** heavy, weighty
**pesar** to weigh, have weight; *m. n.* **a — de** in spite of; **a — mío** against my wishes
**pescado** fish (*usually after it is caught*)
**pescar** to fish

**peso** weight; peso (*the national monetary unit in some Spanish American countries*)
**petirrojo** robin
**pétreo** stony
**pez** *m.* fish (*before it is caught*)
**piadosamente** mercifully
**pica** lance
**picaflor** *m.* hummingbird
**picardía: con —** roguishly
**pico** beak
**pie** *m.* foot; **perder —** to lose one's footing; **ponerse en (de) —** to stand up
**piedad** pity
**piedra** stone
**piel** *f.* skin
**pierna** leg
**pieza** part (*of a machine*), piece; room
**pillar** to catch, grab
**pinchar** to prick
**pintoresco** picturesque
**pintura** paint; **mano de —** coat of paint
**pirueta** pirouette
**pisada** footstep, step
**pisar** to step on
**piso** floor
**pisotear** to trample
**placer** *m.* pleasure
**plano** blueprint, plan
**plata** money, "dough"; silver
**platanar** *m.* group of banana trees
**plateado** silvered
**playa** beach
**Plaza de Mayo** *one of the main squares of Buenos Aires*
**plazo** term, period of time
**plazuela** *dim. of* **plaza**
**plegada** fold
**pleito** lawsuit
**plenamente** fully, completely
**pleno: en —a selva** right in the middle of the jungle
**plomo** lead (*metal*)
**pluma** feather, pen
**población** town

**poblar (ue)** to populate, inhabit
**pobrecillo** poor thing!
**pocillo** demitasse
**poder (ue)** to be able to, can; **no — más** not be able to go on (stand anymore), to be all tired (worn) out, to be "all in"; **no — menos de** + *inf.* not to be able to help but + *v.* (*e.g.* **No se podía menos de imaginarlos** One could not help but imagine them); **puede que** maybe
**poderío** power
**poderoso** powerful, mighty
**policía: cuerpo de —** police force
**polvo** dust
**pólvora** powder
**poner** to put, place, set; **— en marcha** to start (*a vehicle or machine*); **—un nombre** to name; **—se** + *adj.* to become, get + *adj.*; **—se** + *article of clothing* to put on; **—se a** to begin to; **—se de acuerdo** to come to an agreement; **—se en (de) pie** to stand up
**poquito** *dim. of* **poco**
**por** for, by, through, along, over, on account of, because of; **— eso** therefore; **— favor** please; **— fin** finally, at last; **— si acaso** just in case; **estar —** to be about to
**portentoso** prodigious, marvelous
**pórtico** hall, portico
**portoncito** little door
**porvenir** *m.* future
**postergar** to delay, put off
**postizo** artificial
**postre: a la —** at last
**postrero** last, final
**potasio: cianuro de —** potassium cyanide
**potrero** pasture
**potro** colt
**poyo** stone seat
**pozo** well, pit
**práctica** practice

**precipitado** hasty, wild
**precipitar** to hasten; —**se** to rush, race, charge
**preciso** necessary
**premio** prize
**prenda** article
**prendarse** (**de**) to become attracted (to), fond (of)
**prendedor** *m.* pin, brooch
**prender** to light
**prendido** (**de**) grasping, holding on (to)
**preocupar** to worry
**presa** prisoner, captive
**presagiar** to foretell
**prescribir** to indicate
**presenciar** to witness
**presidio** prison
**préstamo** loan
**prestar** to lend, pay
**prevenir** (**ie**) to warn, caution
**prever** to foresee, anticipate
**previsión** foresight
**previsor** foresighted
**previsto** *p. p. of* **prever**
**primera: de —** first class
**prisa** hurry, haste; **darse —** to hurry; **tener —** to be in a hurry
**privar** to deprive
**probar** (**ue**) to prove
**procurar** to try
**prodigar** to lavish
**proferir** (**ie, i**) to utter, speak
**prófugo** fugitive
**profundidad** depth
**progresista** progressive
**prometer** to promise
**pronto** soon, quickly; ready; **de —** suddenly; **por de —** in the meantime
**propicio** favorable, right, propitious
**propiedad: con —** properly
**propietario** owner
**propio** own; characteristic; -self (*e.g.* **la propia botella** the bottle itself)

**proponerse** to plan, intend
**proporcionar** to furnish provide
**propósito** purpose
**proseguir** (**i**) to go on, continue
**prosternarse** to prostrate oneself
**protegido** protected
**provisto** provided
**prueba** proof, test, trial; **viaje de —** trial run
**¡puaf!** bah! (*or any similar exclamation of exasperation*)
**puchuela** trifle, insignificant sum
**puente** *m.* bridge
**puerto** waterfront, harbor
**pues** well (*expl.*); since, because; **— bien** well, then
**puesto** *p. p. of* **poner;** on (wearing, *as with clothing*); **— que** since
**pulsar** to feel one's pulse
**punta** tip, end
**puntapié** *m.* kick
**puntería** marksmanship, aim
**punto** dot, point; popular song
**puñalada** stab
**puño** fist; handle

## Q

**quedar** to remain, be, be left; —**se** to stay, remain
**quedo** quiet, still
**queja** complaint
**quejarse** to complain
**quejumbroso** plaintive
**quemadura** burn
**quemar** to burn (*trans.*)
**querer** (**ie**) to want, wish, try; to love, like; **— decir** to mean; **sin —** unintentionally
**querida** beloved, mistress
**querido** dear
**quieto** still, motionless
**quimera** unreal creature of the imagination
**quinta** farm
**quitar** to take off, away; —**se** + *article of clothing* to take off

# R

rabia rage, fury
rabiosamente furiously
racha gust, streak
ráfaga small cloud
rama branch
ramo bouquet
raro strange
rascacielos *m.* skyscraper
rasgar to scratch vigorously
rasgo feature
raso: cielo — ceiling
raspar to scrape, scratch
rastro track, trace
rato time, while
raudamente rapidly
raya line, streak, stripe
rayo streak of lightning
raza race
razón *f.* reason; dar — a to make come true; tener — to be right
reanudar to resume
rebatir to refute
rebozo shawl
rebuscar to search carefully
recargo extra charge, new charge
recibir: — noticias (de) to hear (from)
recinto enclosure, place
reclamar to claim, demand
recobrarse to recover, recuperate
recoger to gather, collect, pick up; —se to crouch
recogido: con los pies —s with their feet tucked under
recomenzar (ie) to begin again
reconocer to recognize
reconvenir (ie) to reproach, reprimand
recorrer to travel (go) through (over)
recorrido search, check
recortado outlined
recostado reclining
recruzar to recross
recto straight
recuerdo memory

recurso means, resort, recourse
rechazo pushed back
red *f.* net
redondel *m.* circular area
redondo round
referir (ie, i) to relate, tell; —se a to refer to
refitolero monk in charge of a monastery dining hall
reflejo reflection
refrán *m.* proverb
refuerzo reinforcement
refugiarse to take refuge (shelter)
refunfuñar to growl, mutter
regalar to present, give as a gift
regaño scolding, reprimand
registro record
regla: en — in order, in proper form
regresar to return
reguero trickle, stream of drops
reina queen
reino kingdom
relámpago lightning, flash of lightning
relato story, narrative
relucir to glitter, glisten
relleno stuffed
remedio solution, remedy, choice (*e.g.* No tuve más remedio que salir I had no choice but to go out)
remendar (ie) to patch, repair, fix up
remero boatman
rendija crack
rendir (i) produce, achieve, give to
renguear to limp
reojo: de — suspiciously
reparar en to notice
repaso review
repechar to go uphill
repente: de — suddenly
repentinamente suddenly
repique *m.* peal, ringing
repleto crowded, full
replicar to reply

**reponer** to repair
**reposición** recuperation
**resbalar(se)** to slip, slide
**resecar** to dry thoroughly
**resolver (ue)** to solve
**resonar (ue)** to resound, echo
**respeto:** — a with respect to
**respetuoso** respectful
**resplandecer** to gleam, shine
**resplandeciente** shiny, luminous
**respuesta** reply, answer
**restablecido** recovered, recuperated
**restante** remaining
**restar** to subtract
**restos** *pl.* remains
**restregar (ie)** to rub
**resuelto** *p. p. of* **resolver;** determined, prompt
**resultado** result
**resultar** to be, turn out (to be), end in
**resultas: de —** as a consequence
**retirarse** to withdraw, retreat
**retomar** to take again, go back to
**retorcerse (ue)** to twist, writhe, squirm
**retozar** to frolic, caper
**retroceder** to retreat, move backward
**reunir** to gather, collect
**revés** reverse, back; **al —** in reverse, backward; **al — de** just the opposite from
**revisar** to examine
**revolverse (ue)** to move back and forth
**revuelto** intricate
**ribera** bank (*of a river*)
**riel** *m.* rail
**riesgo** risk
**rincón** *m.* corner
**río:** —**abajo** down the river; — **arriba** up the river
**risa** laugh, laughter
**risita** giggle
**risotada** laugh
**roce** *m.* poise; brushing, rubbing

**rodar (ue)** to roll
**rodear** to surround, circle, cover
**rodeo: sin —s** without "beating around the bush," straight to the point
**rodilla** knee
**rogar (ue)** to beg, request
**rollizo** sturdy, stocky
**rombo** diamond (*figure*), rhombus
**roncar** to roar
**ronco** hoarse; rough
**ropero** wardrobe
**rosado** rose-colored
**rostro** face
**rozar** to brush, rub against
**rubor** *m.* blush, flush
**rudeza** roughness
**rudo** hard, vigorous
**rueda** wheel; type of fireworks
**rugido** roar
**rugir** to roar
**ruido** noise
**ruidoso** noisy
**rumbo** course, destination, direction; —**a** bound (headed) for, on the way to
**rumor** *m.* noise, sound
**runrunear** to purr, (*also* **ronronear**)

## S

**sábana** sheet
**sabandija** nasty insect, vermin
**saber** to know, know how; to find out; — **con** to have to do with; **hacer —** to inform, notify
**sabio** wise
**sabor** *m.* flavor
**saborear** to relish, enjoy
**sacar** to take out; — **en limpio** to gather, conclude
**sacristán** *m.* sexton (*of a church*)
**sacudida** shake
**sacudir** to shake
**sagrado** sacred
**sajar** to make scratches or superficial incisions in (*surgery*)

**salado** salty

**salida** exit; departure

**salón** *m.* room

**salpicado** sprinkled

**saltar** to jump, leap

**salto** jump, leap; **dar un —** to jump, take a jump

**salud** *f.* health

**saludar** to greet, hail

**saludo** greeting

**salvador** *m.* saviour

**salvar** to save; to cross (*an obstacle*)

**salvo** except; **a —** safe

**San Lorenzo** St. Lawrence

**sangrar** to bleed

**sangriento** bloody

**sano** sound, healthy, harmless

**santidad: Su S—** His Holiness

**santo** *n.* saint; *adj.* holy, saintly

**satisfecho: darse por —** to be satisfied

**secar** to dry

**seco** dry

**sed** *f.* thirst

**seda** silk

**seguida: en —** right away, at once, immediately

**seguir** (i) to follow, continue, keep on

**segunda: de —** second class

**selva** jungle, forest

**sellar** to seal; **— los labios** to silence

**semejante** similar

**semidormido** half-asleep

**sencillo** simple

**sendero** path

**seno** bosom, breast

**sensible** sensitive

**sentenciar** to pass judgment, decide

**sentido** meaning, sense

**sentimiento** feeling

**sentir** (ie, i) to feel, note; to regret; **—se** to feel

**señal** *f.* signal, sign

**señalar** to show, point out

**señas** *pl.*: **por más —** to be exact, more specific

**señorío** stateliness, elegance

**separado: por —** separately

**sequía** drought

**ser** to be; **como es de imaginar** as one might imagine; *m.* being

**seráfico** Franciscan (*pertaining to a religious order founded by St. Francis of Assisi*)

**serenar** to calm

**seriedad** seriousness

**servidumbre** *f.* staff of servants

**servir** (i) to serve; **— de algo** to do any good; **— para** to be good for

**sesos** *pl.* brains

**sí: volver en —** to come to (*regain conciousness*)

**sien** *f.* temple (*of head*)

**Sierra Madre** *two parallel mountain ranges in Mexico*

**siglo** century

**siguiente** following, next

**silbido** whistle

**silla** chair

**sillón** *m.* chair, easy chair

**simulacro** image, idol

**sin** without; **— embargo** however, nevertheless; **— fuerzas** exhausted; **— más** without further ado

**síncope** *f.* failure (*medical*)

**siniestro** sinister

**sino** but, except; **— que** but, rather

**siquiera** at least, even; **ni —** not even

**sirviente, —a** servant

**sitio** place, spot

**smoking** *m.* dinner jacket

**sobrar** to be more than enough, exceed

**sobre: — todo** especially

**sobrepasar** to exceed, surpass

**sobreponerse** to recover

**sobresaltar** to startle

**sobrevenir** (ie, i) to take place, follow

**sobrino** nephew
**socavar** to undermine
**socio** member, partner
**socorro** help, aid; **dar voces de —** to call for help
**soga** rope
**sol** *m.* **de — a —** from sunup to sundown
**solazo** hot sun
**soler (ue)** to be in the habit of, to be accustomed to
**solidez** solidity, weight
**soltar (ue)** to let go of, loosen, set free, release
**solterona** old-maid
**sollozar** to sob
**sollozo** sob
**sombra** shade, shadow; **a la —** in the shade
**sombrío** dark, shadowy, brooding, gloomy
**sonar (ue)** to sound, ring
**sonido** sound
**sonreír (se) (i)** to smile
**sonriente** smiling
**sonrisa** smile
**sonrosado** pink
**soñador** dreamy
**soñar (ue) (con)** to dream (about)
**sopa** soup
**soplar** to blow
**soportar** to stand, endure, bear
**sorber** to sip
**sordo** deaf; muffled, silent; **hacerse el —** to turn a deaf ear on
**sorprendente** surprising
**sorprendido** surprised
**sorpresa** surprise; **llevarse una —** to be surprised
**sospecha** suspicion
**sospechar** to suspect
**sostenerse (ie)** to hold on, endure
**suave** soft
**subalterno** subordinate
**subir** to rise, go up; to raise; **— a** to get on (in) (*a vehicle*)
**subvenir (ie)** to provide, supply
**succionar** to hold by suction

**suceder** to happen, occur; to turn out
**suceso** event
**sucio** dirty, filthy
**sudor** *m.* sweat
**suela** shoe
**suelto** *p. p. of* soltar; loose
**sueño** sleep, sleepiness
**suerte** *f.* luck, fate; type, kind; **de — que** so that; **por —** luckily, fortunately; **tener —** to be lucky
**sugerir (ie, i)** to suggest
**suizo** Swiss
**sujetar** to hold
**sumamente** exceedingly, highly
**sumar** to add
**sumirse** to sink
**súplica** entreaty, plea
**suplicio** torture
**surco** furrow, row
**surgir** to come into existence; to come out (forth)
**suscribir** to sign
**suspirar** to sigh
**suspiro** sigh
**sustraerse** to withdraw, elude
**sutil** subtle
**sutileza** subtlety
**suyo: de —** naturally

## T

**tablero** chessboard; board, panel
**taconear** to strut, put one's heels down hard
**tal** such, such a; **— como** just as; **— o cual** such-and-such, so-and-so; **— vez** perhaps; **de — modo que** in such a way that
**taladrar** to drill, bore into
**talón** *m.* heel (*of the foot*)
**tamarindo** tamarind (*a large tropical tree*)
**tambalear(se)** to stagger
**tangente** bordering
**tanque** *m.* reservoir, tank

**tanto** so much (many), as much (many); **de — en —** every so often; **mientras —** meanwhile; **un —** somewhat
**tapa** cover, top
**tapar** to stop up, plug; to cover
**tapia** wall
**tardar** to delay, be late; **— en** to take time (*e. g.* **tardó un día en terminar** it took him a day to finish)
**tarea** task
**tarifa** fare
**tarima** low bench; platform
**tartamudear** to stammer, stutter
**taza** cup
**techo** roof
**teja** roof tile
**tejer** to weave
**tela** cloth, fabric
**telaraña** spider web
**temblar (ie)** to tremble, shake
**temblor** *m.* tremor
**temer** to fear
**temeroso** afraid
**temor** *m.* fear
**tempestad** *f.* storm
**templar** to harden, temper
**tenazmente** tenaciously
**tender (ie)** to spread (hold) out, extend, lay down; **—se** to stretch out
**tener (ie)** to have, hold; to be; to have wrong with one (*e. g.* **¿Qué tienes?** What's wrong with you? **— a bien** to see fit, find convenient; **— ganas de** to feel like; **— inconveniente en** to mind; **—lástima de** to feel sorry for; **— miedo** to be afraid; **— prisa** to be in a hurry; **— que** to have to; **— razón** to be right; **— suerte** to be lucky; **—... años** to be... years old
**tentativa** attempt
**tenue** thin, light, delicate
**teñir (i)** to tinge, stain, darken, dye, tint

**ternura** tenderness
**terreno** earthly, terrestial
**tesoro** treasure
**testarudo** stubborn
**testigo** witness
**tibio** warm
**tientas: a —** feeling around, groping
**timbre** *m.* tone, quality
**tinieblas** *pl.* darkness
**tinta** ink
**tirar** to pull; to throw; to shoot
**tiro** shot
**tirón: de un —** all at once
**titubear** to hesitate
**tocadiscos** *m.* juke box, record player
**tocar** to touch, knock; to play (*a musical instrument*); to be one's turn (*e. g.* **le toca a él** it's his turn)
**todo** all, every, everything; **—as partes** everywhere; **el mundo** everyone; **a — trance** at any cost; **de —as maneras** anyway; **del —** completely; **sobre —** especially
**tomar** to take; to eat, drink; **— asiento** to be seated; **— en cuenta** to take into account; **—lo a la tremenda** to be surprised, get excited; **—sela con** to have a grudge against, pick on, quarrel with
**tonelada** ton
**tontería** foolishness, nonsense
**torcerse (ue)** to twist
**tormenta** storm
**tornarse** to turn
**tornasolado** iridescent
**torpe** clumsy, slow
**torre** *f.* tower; **— negra** rook (*chess*)
**torrentera** ravine
**torta** loaf
**trabar** to block, trip, tie (*the tongue*)
**tragarse** to swallow

**trago** swallow, gulp
**traición** betrayal
**traicionar** to betray
**tramo** section, link, division
**trampa** trick, trap
**trance: a todo —** at any cost
**tranquear** to bound, take long strides
**transcurrir** to pass, elapse
**transeúnte** *m.* passer-by
**transitoriamente** temporarily
**transportarse** to be carried away
**transporte** *m.* rapture, ecstasy
**tranvía** *m.* streetcar
**trapo** rag
**tras** after behind; **— de** behind
**traslado** moving
**traspasar** transfixed
**traspirar** to perspire
**trastienda** back room
**trastorno** disorder, disturbance
**tratar** to treat; **— (de)** to try (to); **—se de** to be a question (matter) of
**través: a — de** through, across
**travieso** mischievous
**trayecto** section, stretch
**trecho** space, stretch, lapse
**tremenda: tomarlo a la —** to be surprised, get excited
**trémulo** trembling
**trepar** to climb
**tripulante** *m.* crew member
**tristeza** sadness
**trocarse (ue) (en)** to be transformed, changed (into), be exchanged (for)
**trompa** proboscis (*of an insect*)
**tronco** trunk
**tropezar (ie) (con)** to stumble (against)
**tropilla** herd
**trueno** thunder
**tubo** receiver (*separate piece on old-style telephone*)
**tuerca** nut (*metal*)
**tupido** dense, thick
**turbado** disturbed, upset

**turbio** turbulent, muddy
**tutear** to speak in the familiar **tú** form

## U

**u** or
**ufano** conceited, haughty
**últimamente** lately
**ultrajado** outraged
**umbral** *m.* threshold
**unir** to join, unite; **—se** to join
**unísono: al —** all together
**unos: — a otros** each other; **— cuantos** a few, several
**untar** to grease, oil, smear
**uña** claw, fingernail
**urbanidad** politeness, manners
**usurero** money lender

## V

**vaciar** to empty
**vacilante** hesitating, stumbling
**vacío** empty
**vagar** to roam, wander
**vagón** *m.* railroard car; **— capilla ardiente** funeral chapel car
**valer** to be worth, be of value; **— más** to be better
**valija** suitcase, valise
**valioso** valuable
**valor** *m.* courage; worth, value
**válvula** valve
**vapor** *m.* steam
**vaqueta** type of leather
**varón** man, male
**vaso** glass (*container*)
**veces** *pl. of* **vez; a —** sometimes, at times
**vecino** *n.* neighbor; *adj.* nearby, neighboring
**vedar** to obstruct, forbid; **— el paso** to block the way
**velar** to stay awake
**veleidad** whimsy
**veloz** swift, fleet, rapid

**velludo** hairy
**vena: estar en — de** to be in the mood for
**venalidad** corruptibility
**vencer** to conquer, defeat
**venda** bandage
**vendar** to bandage
**vendedor** *m.* clerk
**veneno** poison
**venenoso** poisonous
**venida** coming
**venta** sale
**ventaja** advantage
**ventanilla** *dim. of* **ventana** window (*of a vehicle*)
**venturoso** lucky, successful, prosperous
**ver** to see; **a —** let's see; **—se** to find oneself; **—se (con)** to have it out (with), have a talk (with)
**veras** *pl.*: **de —** really
**verdad** truth, true; **¿—?** isn't it? aren't they? *etc.*, **a decir —** to tell the truth; **de — que** really
**verdadero** real, true
**verdoso** greenish
**verdugo** executioner
**verdura** vegetation, foliage
**vergüenza** shame
**verja** iron railing
**vértice** *m.* tip, apex
**vertiginoso** dizzy
**vértigo** dizziness, dizzy spell
**vestíbulo** hall
**vestirse (i)** to dress, get dressed
**vete** *imp. of* **irse** Go away!, Get out!, Leave!
**veteado** streaked
**vez** time; **a veces** sometimes, at times; **a la —** at the same time, simultaneously; **a su —** in turn; **cada — más** more and more; **de — en cuando** from time to time, now and then; **de una buena —** once and for all; **en**

**— de** instead of; **otra —** again; **tal —** perhaps; **una —** once
**vía** track (*railroad*)
**viaje** *m.* trip, journey; **— de prueba** trial run
**viajero** traveler; *adj.* travelling
**vialidad** highway department
**vida: con —** alive
**vidriera** large window
**vidrio** glass
**viejecillo** *dim. of* **viejo**
**viento** wind
**vientre** *m.* belly
**vigilante** *m.* watchman, guard
**vigilar** to watch over, stay on guard
**vigilia** wakefulness
**vilano** down of a thistle
**vilo: en —** up in the air
**violín** *m.* violinist
**violoncelista** *m.* cellist
**virrey** *m.* viceroy
**viruela** smallpox
**vísceras** *pl.* inner organs
**visitante** *m.* visitor
**vista** sight
**visto** *p. p. of* **ver: por lo —** aparently
**viuda** widow
**viva** *3rd. pers. pr. subj. of* **vivir** Long live...!, Hurray for...!
**víveres** *m. pl.* food, provisions
**vivo** alive; lively, active; **vivamente** quickly
**vocablo** word, expression, term
**vocación** calling, vocation
**vocecita** weak voice
**voces** *pl. of* **voz**
**volandas: en —** in the air, as if flying
**volante** *m.* balance wheel
**volar (ue)** to fly; **—se** to fly away
**volver (ue)** to return, come (go) back; to turn; **—a + inf.** to do again (*e. g.* **Volvió a ocupar**

su asiento He sat down again);
—en sí to come to (regain
consciousness); —se to turn
around

**voto** vow

**voz** *f.* voice; shout, call; the
"word;" —ces rumors, news;
**dar voces de socorro** to call for
help

**vuelo** flight; **levantar** — to take
off

**vuelta** return; turn; **a la** — **(de)**
around the corner (from); **dar**
— to turn around; **dar una** —
to take a walk; **dar la** — to go
around; **ida y** — round-trip

**vuelto** *p. p. of* **volver;** turned

## Y

**ya** already, now, then; — **está**
there! (*expl.*), O. K.!; — **lo creo**
of course!, yes, indeed!; —**no**
no longer, not anymore; — **que**
since

**yacer** to lie

## Z

**zafar** to dislodge
**zángano** drone
**zarpazo** blow with the paw
**zorro** fox
**zozobra** sinking, floundering
**zumbar** to buzz
**zurdo** left-handed, clumsy

# SUPPLEMENTARY VOCABULARY FOR TAPED STORIES

The vocabulary on the following pages is intended to supplement the preceding pages of text vocabulary. This supplementary list contains words and expressions that either do not appear in the preceding pages or that have a different meaning in the stories on tape. The new vocabulary for each story is given separately.

## First Story

**ahorcar** to hang
**amorosamente** lovingly
**aquelarre** *m.* witches' sabbath
**arrebatar** to carry off
**ataviar** to adorn, bedeck
**aurora** dawn
**avestruz** *m.* ostrich
**azar** *m.* chance, unforeseen happening
**bruja** witch
**bufonada** trick, jest
**cabra** goat
**carbón** *m.* coal
**carnecita** little body
**cobre** *m.* copper
**corte** *f.* court
**dedicarse** to devote oneself
**descarnado** lean
**descuidado** unkempt
**dosel** *m.* canopy
**embajador** *m.* ambassador
**embriagarse** to become intoxicated
**encaje** *m.* lace
**enfermera** nurse

**engendrar** to beget, produce
**esclavo** *adj.* enslaved
**espuela** spur
**faena** task
**fantasma** *m.* spirit, ghost
**flor: en —** blossoming
**gemir (i)** to moan
**gorro** cap
**huella** print
**ladrona** thief
**lavandera** washerwoman
**leñador** *m.* woodcutter
**leproso** leper
**limosna** alms
**manjar** *m.* dish
**matrimonio** married couple
**narrador** narrator
**ocioso** idle
**orgulloso** proud
**palo** stick
**pulcro** neat, clean
**puñado** handful
**púrpura** purple cloth
**reinar** to rule

**sabroso** delicious
**secarse** to wither, become lean
**soberbio** superb
**socorrer** to aid
**solas: a —** alone

**sorprender** to surprise
**suplicar** to beg, plead
**terciopelo** velvet
**útil** useful
**valle** *m.* valley

abrir: — paso to clear the way
absoluto: en at all
aguja needle
alguna: — vez ever
angosto narrow
antaño long ago, "yesteryear"
anticipo advance (*money*)
añadido addition
apartar to take away
arete *m.* earring
argumento plot (*of a book, etc.*)
arrepentirse (ie, i) to repent
así: siendo — in that case
atropellar to trample
azada hoe
brotar to appear, spring forth
burdo coarse
callar to be quiet
comerciante *m.* businessman
complaciente agreeable, kind
componer to fix, adjust
compra purchase
comprometerse to commit (bind)
  oneself
cosa: gran — much, very much;
  — de pensarlo something to
  think about
criterio judgment, discernment
dar: —se prisa to hurry
dato fact
debido due
decir: es that is to say
delantal *m.* apron
descanso rest
deseoso desirous
desesperante desperate
deslumbrado puzzled
desquiciarse to become unhinged,
  disordered

destartalado poorly furnished
desteñido faded
diablo devil
disgustado displeased
echar: — de menos to miss
efectivamente in effect, as a matter of fact
embolsar to pocket
entenderse (ie) to get along
entrada admission
esfumado blurred
estrechez austerity, poverty
estremecimiento shudder
fulgor *m.* brilliancy
gastado worn out
gracioso funny, humorous
gran: — cosa much, very much
hace: — poco a little while ago;
  no — mucho not long ago
humedad dampness
inclinado bowed, tipped
interlocutor *m.* interlocutor (*one
  who takes part in a conversation*)
ir: — + *gerund* to be gradually
  + *gerund*
ladino crafty, cunning
leve slight
limpiar to clean
manifestar (ie) to show; —se to
  appear
manjares *m. pl.* food
marchar to go
molesto bothered
nudo knot
pantalla screen (*movie*)
parte: de — de on the side of
paso: abrir — to clear the way
pensamiento thought

perder (ie) to waste
perjudicado damaged, injured, "bested"
pliego sheet of paper
porque *sometimes used in place of* para que in order that
prisa: de — hurriedly
proponer to propose
puñados: a — by the handful
reflexionar to reflect
rehusar to refuse
remordimiento remorse
renovarse to be renewed
reparar to repair
reponer to reply
riqueza wealth
rumbo (a) "way out"
salón *m.* theater
semilla seed
sentar (ie): —le mal a uno to disagree with one, not to suit one
señor: — mío my good man
sigilosamente secretly
signo sign
simpatía liking, friendly feeling
son *m.*: en — de by the way of
sudoroso sweaty
sueño dream
sumido sunk, immersed
tanto: en — que while
traje *m.* dress, suit
trasponer to pull across
trato: — hecho It's a deal
trazar to draw
turbación confusion
venirse (ie) to come
vestido dress
vez: alguna — ever
vivamente deeply, intensely

Additional Expressions:

Ya llegarás al séptimo año, ya Just wait until the seventh year.

al diablo le salieran mal estas cosas these things turned out badly for the Devil

se le han ido ya de las manos have already escaped his clutches

¿qué concepto le merece? What is your considered opinion of him?

Hice como que I pretended that

resulta por demás una presentación an introduction is not at all necessary

PERMISSIONS AND ACKNOWLEDGMENTS

We wish to thank the authors, publishers, and holders of copyright for their permission to use the reading materials in this revised edition.

*El teléfono* by Augusto Mario Delfino (EJ)
*Las abejas de bronce* by Marco Denevi (IJJ)
*Las ruinas circulares* by Jorge Luis Borges (CE)
*Juan Darién* by Horacio Quiroga (IJJ)

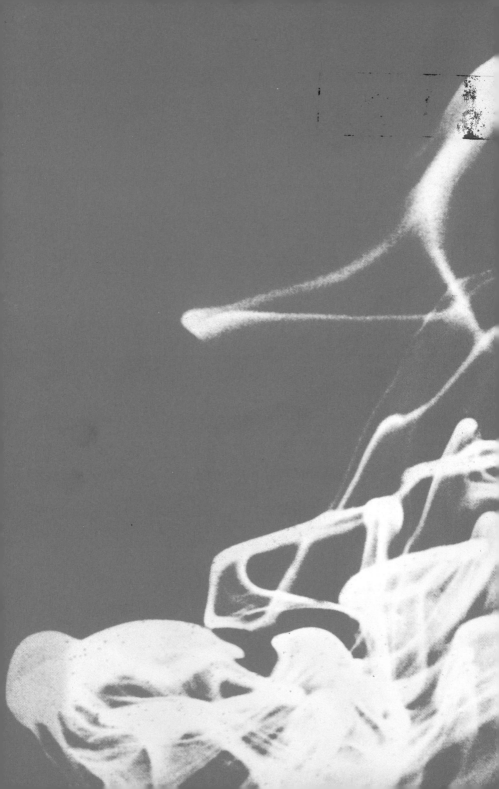